1580242762

U0338582

中华人民共和国国家标准

光伏压延玻璃工厂设计规范

Code for design of photovoltaic rolled glass plant

GB 51113-2015

主编部门：国家建筑材料工业标准定额总站
批准部门：中华人民共和国住房和城乡建设部
施行日期：２０１６年３月１日

中国计划出版社

2015 北 京

中华人民共和国国家标准
光伏压延玻璃工厂设计规范
GB 51113-2015

☆

中国计划出版社出版
网址：www.jhpress.com
地址：北京市西城区木樨地北里甲 11 号国宏大厦 C 座 3 层
邮政编码：100038　电话：(010) 63906433（发行部）
新华书店北京发行所发行
北京市科星印刷有限责任公司印刷

850mm×1168mm　1/32　4.75 印张　119 千字
2015 年 12 月第 1 版　2015 年 12 月第 1 次印刷
☆
统一书号：1580242·762
定价：29.00 元

版权所有　侵权必究
侵权举报电话：(010) 63906404
如有印装质量问题，请寄本社出版部调换

中华人民共和国住房和城乡建设部公告

第 863 号

住房城乡建设部关于发布国家标准《光伏压延玻璃工厂设计规范》的公告

现批准《光伏压延玻璃工厂设计规范》为国家标准，编号为 GB 51113—2015，自 2016 年 3 月 1 日起实施。其中，第 12.1.2、12.5.3、14.2.8(3)条(款)为强制性条文，必须严格执行。

本规范由我部标准定额研究所组织中国计划出版社出版发行。

中华人民共和国住房和城乡建设部
2015 年 6 月 26 日

前 言

本规范根据住房城乡建设部《关于印发〈2013年工程建设标准规范制订修订计划〉的通知》（建标〔2013〕6号）的要求，由蚌埠玻璃工业设计研究院会同有关单位共同编制完成。

本规范编制过程中，编制组进行了广泛深入的调查研究，总结了我国光伏压延玻璃工厂工程建设的实践经验，同时参考了国外先进生产技术和技术标准，并广泛征求意见，通过反复讨论、修改和完善，完成了报批稿。最后经审查定稿。

本规范共分14章和8个附录，主要技术内容有：总则、术语、基本规定、总体规划与厂址选择、总图运输、原料、联合车间、燃料、建筑与结构、公用辅助工程、生产过程检测和控制、环境保护、节能、职业安全卫生等。

本规范中以黑体字标志的条文为强制性条文，必须严格执行。

本规范由住房城乡建设部负责管理和对强制性条文的解释，由国家建筑材料工业标准定额总站负责日常管理，由蚌埠玻璃工业设计研究院负责具体技术内容的解释。本规范在执行过程中，如有意见或建议，请寄送至蚌埠玻璃工业设计研究院（地址：安徽省蚌埠市涂山路1047号；邮政编码：233018），以供今后修订时参考。

本规范主编单位、参编单位、主要起草人和主要审查人：

主编单位： 蚌埠玻璃工业设计研究院

参编单位： 中国建材国际工程集团有限公司

中航三鑫太阳能光电玻璃有限公司

主要起草人： 彭　寿　茆令文　吴　晓　魏晓俊　施敬林

孙新艳　王伊托　吴　磊　董　勇　吴国强

      陆少锋　单承宇　张仰平　赵　飞　杨义仿
      左泽方　刘　锐　霍全兴　陆　莹　贾维仁
      戴　强　王立群　惠建秋
主要审查人：曾学敏　王宗伟　贺宝林　房广华　鲁旺生
      薛滔菁　杨京安　李茂刚　梁晓鹏

目　次

1 总　则 …………………………………………………… （1）
2 术　语 …………………………………………………… （2）
3 基本规定 ………………………………………………… （3）
　3.1 设计规模 …………………………………………… （3）
　3.2 设计依据 …………………………………………… （3）
4 总体规划与厂址选择 …………………………………… （4）
　4.1 总体规划 …………………………………………… （4）
　4.2 厂址选择 …………………………………………… （4）
5 总图运输 ………………………………………………… （6）
　5.1 一般规定 …………………………………………… （6）
　5.2 总平面布置 ………………………………………… （7）
　5.3 交通运输 …………………………………………… （10）
　5.4 竖向设计 …………………………………………… （11）
　5.5 管线综合布置 ……………………………………… （13）
　5.6 绿化设计 …………………………………………… （14）
6 原　料 …………………………………………………… （15）
　6.1 原料的选择与品质要求 …………………………… （15）
　6.2 玻璃化学成分 ……………………………………… （16）
　6.3 工艺设备选型 ……………………………………… （17）
　6.4 工艺流程及布置 …………………………………… （18）
7 联合车间 ………………………………………………… （19）
　7.1 一般规定 …………………………………………… （19）
　7.2 熔化系统 …………………………………………… （19）
　7.3 成形系统 …………………………………………… （22）

7.4　退火系统 …………………………………………（23）
　7.5　冷端系统 …………………………………………（23）
　7.6　碎玻璃系统 ………………………………………（24）
　7.7　成品包装、运输、储存 …………………………（25）
　7.8　联合车间工艺布置 ………………………………（25）
8　燃　　料 …………………………………………………（28）
　8.1　一般规定 …………………………………………（28）
　8.2　燃油 ………………………………………………（28）
　8.3　天然气 ……………………………………………（30）
　8.4　焦炉煤气 …………………………………………（31）
9　建筑与结构 ………………………………………………（32）
　9.1　一般规定 …………………………………………（32）
　9.2　生产车间与辅助车间 ……………………………（34）
　9.3　辅助用室、生产管理及生活建筑 ………………（34）
　9.4　建筑构造设计 ……………………………………（35）
　9.5　主要车间建筑结构布置 …………………………（37）
　9.6　主要车间结构选型 ………………………………（38）
　9.7　构筑物 ……………………………………………（39）
10　公用辅助工程 …………………………………………（41）
　10.1　给水与排水 ……………………………………（41）
　10.2　电气 ……………………………………………（44）
　10.3　供热与供气 ……………………………………（48）
　10.4　采暖、通风、收尘、空气调节 ………………（50）
　10.5　其他生产设施 …………………………………（53）
11　生产过程检测和控制 …………………………………（54）
　11.1　自动化水平的确定 ……………………………（54）
　11.2　配料称量系统 …………………………………（54）
　11.3　熔化系统 ………………………………………（55）
　11.4　成形系统 ………………………………………（56）

11.5	退火系统	(56)
11.6	冷端系统	(57)
11.7	辅助生产系统	(57)
11.8	仪表用电源和气源	(58)
11.9	控制室	(58)
12	环境保护	(60)
12.1	一般规定	(60)
12.2	大气污染防治	(60)
12.3	废水污染防治	(61)
12.4	噪声及振动防治	(61)
12.5	固体废物污染防治	(62)
12.6	环境监测	(63)
13	节　能	(64)
13.1	一般规定	(64)
13.2	总图与建筑节能	(64)
13.3	工艺及设备节能	(65)
13.4	电气及自动化控制节能	(65)
13.5	辅助设施节能	(66)
14	职业安全卫生	(69)
14.1	一般规定	(69)
14.2	防火与防爆	(69)
14.3	防电与防雷	(70)
14.4	防机械、玻璃伤害	(71)
14.5	防暑降温及采暖防寒	(72)
14.6	防噪声、防振动	(72)
14.7	防尘和其他伤害	(72)
14.8	辅助卫生用室	(73)
附录 A	地下管线与建(构)筑物之间的最小水平净距	(74)
附录 B	地下管线之间的最小水平净距	(76)

附录C 地下管线之间的最小垂直净距 …………………（80）
附录D 胶带输送机通廊净空尺寸 ……………………（81）
附录E 光伏压延玻璃工厂的火灾危险性类别、耐火等级、
　　　 防火分区最大允许建筑面积、安全疏散距离及安全
　　　 出口数目 ………………………………………………（84）
附录F 光伏压延玻璃工厂主要车间楼面、地面荷载标
　　　 准值 …………………………………………………（87）
附录G 光伏压延玻璃工厂采暖计算温度 ………………（89）
附录H 光伏压延玻璃工厂机械通风换气次数 …………（91）
本规范用词说明 …………………………………………（92）
引用标准名录 ……………………………………………（93）
附：条文说明 ……………………………………………（97）

Contents

1 General provisions .... (1)
2 Terms .... (2)
3 Basic requirements .... (3)
   3.1 Design scale .... (3)
   3.1 Design basis .... (3)
4 General planning and selection of plant location .... (4)
   4.1 General planning .... (4)
   4.2 Selection of plant location .... (4)
5 The total diagram transport .... (6)
   5.1 General requirements .... (6)
   5.2 General layout .... (7)
   5.3 Transportation .... (10)
   5.4 Vertical design .... (11)
   5.5 General layout of pipeline .... (13)
   5.6 Greening design .... (14)
6 Raw material .... (15)
   6.1 Raw material selection and quality requirements .... (15)
   6.2 Chemical composition of glass .... (16)
   6.3 Process equipment selection .... (17)
   6.4 Process flow and layout .... (18)
7 Joint workshop .... (19)
   7.1 General requirements .... (19)
   7.2 Melting system .... (19)
   7.3 Forming system .... (22)

7.4	Annealing system	(23)
7.5	Cold-end system	(23)
7.6	Cullet system	(24)
7.7	Product packaging, transport and storage	(25)
7.8	Joint workshop process layout	(25)

8 Fuel .... (28)

8.1	General requirements	(28)
8.2	Fuel oil	(28)
8.3	Natural gas	(30)
8.4	Coke oven gas	(31)

9 Architectural structure .... (32)

9.1	General requirements	(32)
9.2	Production workshop and auxiliary workshop	(34)
9.3	Auxiliary room, production management and living building	(34)
9.4	Architectural structure design	(35)
9.5	Building structure layout of the main workshop	(37)
9.6	Structure selection of the main workshop	(38)
9.7	Building structures	(39)

10 Public aided engineering .... (41)

10.1	Water supply and drainage	(41)
10.2	Electric	(44)
10.3	Heating and gas supply	(48)
10.4	Heating, ventilation, dust removal, air conditioning	(50)
10.5	Other production facilities	(53)

11 Production process detecting and controling .... (54)

11.1	Production process automation level	(54)
11.2	Weighing ingredients system	(54)
11.3	Melting system	(55)

11.4	Forming system	(56)
11.5	Annealing system	(56)
11.6	Cold-end system	(57)
11.7	Auxiliary production system	(57)
11.8	Instrument using the power and gas	(58)
11.9	Control room	(58)
12	Environmental protection	(60)
12.1	General requirements	(60)
12.2	Prevention and control of atmosphere pollution	(60)
12.3	Prevention and control of wastewater pollution	(61)
12.4	Prevention and control of noise and vibration	(61)
12.5	Prevention and control of solid waste pollution	(62)
12.6	Environmental monitoring	(63)
13	Energy conservation	(64)
13.1	General requirements	(64)
13.2	General layout and architecture	(64)
13.3	Technology and device	(65)
13.4	Electric and automation control	(65)
13.5	Auxiliary facilities	(66)
14	Occupational safety and health	(69)
14.1	General requirements	(69)
14.2	Prevention of fire and explosion	(69)
14.3	Prevention of electric and lightning	(70)
14.4	Prevention of mechanical accident and glass damage	(71)
14.5	Prevention of heatstroke and cold	(72)
14.6	Prevention of noise and vibration	(72)
14.7	Prevention of dust and other damage	(72)
14.8	Auxiliary health room	(73)

Appendix A   The minimum horizontal range between

	underground pipelines and building structures	(74)
Appendix B	The minimum horizontal range between underground pipelines	(76)
Appendix C	The minimum vertical separation between underground pipelines	(80)
Appendix D	The clearance size of belt conveyor corridor	(81)
Appendix E	Fire hazard category, fire resistance rating, maximum permissible fire partition area, safety evacuation distance and security exits number of photovoltaic rolled glass plant	(84)
Appendix F	The main workshop floor and ground load standard values of photovoltaic rolled glass plant	(87)
Appendix G	The heating calculation temperature of photovoltaic rolled glass plant	(89)
Appendix H	Mechanical ventilation rate of photovoltaic rolled glass plant	(91)
Explanation of wording in this code		(92)
List of quoted standards		(93)
Addition: Explanation of provisions		(97)

1 总 则

1.0.1 为在光伏压延玻璃工厂设计中,规范主要技术指标,加强资源综合利用、清洁生产、节能减排,做到技术先进、经济合理、安全可靠、节能环保,制定本规范。

1.0.2 本规范适用于新建、改建和扩建的采用压延法生产超白光伏玻璃的工厂设计。

1.0.3 光伏压延玻璃工厂设计应因地制宜,符合所在地区统一规划的要求,综合考虑建厂条件。

1.0.4 光伏压延玻璃工厂设计应符合国家对工厂计量管理的要求。能源的计量应有工厂、车间、重点耗能设备的三级计量装置。

1.0.5 光伏压延玻璃工厂设计除应执行本规范外,尚应符合国家现行有关标准的规定。

2 术 语

2.0.1 光伏压延玻璃　photovoltaic rolled glass

采用压延法生产,带有花纹图案、透光但不透明,用于太阳能电池盖板的平板玻璃。

2.0.2 压延法　rolling process

将熔融的玻璃液由溢流口流出后,经压延机上下压辊相对旋转碾压成板状玻璃的生产方法。

2.0.3 一窑多线　lines sharing one furnace

一座熔窑带 2 条或 2 条以上成形、退火及冷端的平板玻璃生产系统。

2.0.4 熔化率　melting rate

熔窑单位熔化面积每 24h 熔化的玻璃液量,单位:$t/m^2 \cdot d$。

3 基本规定

3.1 设计规模

3.1.1 光伏压延玻璃工厂的设计规模,应根据建设条件、市场需求和产业政策、光伏玻璃工艺特殊技术要求等因素综合确定。

3.1.2 光伏压延玻璃生产线熔窑设计规模宜符合下列规定：

　　1 新建的光伏压延玻璃生产线,熔窑设计规模不宜小于400t/d；

　　2 改建、扩建的光伏压延玻璃生产线,熔窑设计规模不宜小于300t/d。

3.1.3 光伏压延玻璃生产线建设宜为一窑多线。

3.2 设计依据

3.2.1 应有相关主管部门的节能审查意见、项目备案、环评批复等文件。

3.2.2 光伏压延玻璃工厂的主要设计基础资料应包括下列内容：

　　1 厂区地形图：图纸比例1：1000或1：500；

　　2 厂区红线图：图纸比例1：1000或1：500；

　　3 规划设计条件；

　　4 工厂建设区工程勘察报告；

　　5 水、电、燃料供应方式；

　　6 主要原料的供应及运输方式；

　　7 有关主管部门建设项目选址意见书；

　　8 建设用地规划许可证；

　　9 建厂地区气象、水文资料和洪水资料；

　　10 工厂所在地区抗震设防烈度。

4 总体规划与厂址选择

4.1 总体规划

4.1.1 光伏压延玻璃工厂的总体规划应符合所在地区的区域规划、城镇规划、当地经济与社会发展规划、所在产业园区总体规划的要求。

4.1.2 光伏压延玻璃工厂的总体规划应正确处理近期和远期的关系。

4.1.3 光伏压延玻璃工厂的总体规划应与周边的交通、水、电基础设施、环境保护设施、生活服务设施等协调，并应充分利用现有配套协作条件。

4.1.4 光伏压延玻璃工厂的总体规划应贯彻节约用地、合理用地的原则，优先利用荒地、劣地及非耕地，并严格执行国家规定的土地使用审批程序。

4.2 厂址选择

4.2.1 厂址选择应符合工业布局和地区总体规划的要求，并应符合现行国家标准《工业企业总平面设计规范》GB 50187 的有关规定。

4.2.2 厂址选择应对建设规模、原料、燃料、主要辅助材料的来源、产品流向、水、电、气、汽等的供应、交通运输、协作条件、场地现有设施、环境保护、劳动力供应、自然条件等因素进行综合比较后确定。

4.2.3 工厂选址时，工程和水文地质条件应满足工程建设的需要。在选用自然地形坡度较大的厂址时，应合理确定竖向布置。

4.2.4 厂区标高应比 50 年一遇洪水位高出 0.5m 以上，厂区应设计防洪设施；位于山区的工厂，厂区标高应出50年一遇洪水位1.0m以上，并应设计防洪、排洪的设施。防洪、排洪设施应在初期工程中一次建成。当厂址位于内涝地区时，厂内应配备排涝设施，且厂区标高应比设计内涝水位高出0.5m。

5 总图运输

5.1 一般规定

5.1.1 光伏压延玻璃工厂总平面布置及总平面设计应符合现行国家标准《工业企业总平面设计规范》GB 50187 的有关规定及当地总体规划的要求,并应在总体规划或可行性研究报告的基础上,根据生产规模、工艺流程、交通运输、环境保护及节能、安全、防火、施工、检修、厂区发展等要求,结合自然条件,经技术经济比较后择优确定。

5.1.2 总图布置应节约、合理用地,并应提高土地利用率。

5.1.3 总平面设计应合理划分功能区,各项设施的布置应紧凑协调、外形规整。

5.1.4 分期建设的工厂,应以近期为主、远近结合、统一规划。远期用地宜预留在厂区外,当远期工程和近期工程在生产工艺及交通运输等要求上不宜分开时,可预留在厂区内,但应减少预留面积。

5.1.5 厂区的通道宽度,应满足使用功能、交通运输、管线敷设、绿化布置及防火、安全、卫生、预留发展用地等的要求,厂内主要通道的宽度宜为 20m～30m。

5.1.6 改建、扩建工程的总平面设计应充分利用现有的场地和设施,减少新征土地面积和建筑物拆迁面积,同时应减少改、扩建工程施工对生产的影响。

5.1.7 总平面设计应充分利用地形、地势、工程地质、水文地质等条件,合理布置建(构)筑物等有关设施。

5.1.8 在山区建厂时,工业场地及建(构)筑物应布置在山体稳定、承载力强的地段,并应防范侧邻山坡的失稳。

5.1.9 总平面设计应合理地组织物流和人流。

5.1.10 厂区建(构)筑物之间及建(构)筑物与道路之间的防火间距,以及消防通道的设置,应符合现行国家标准《建筑设计防火规范》GB 50016 的有关规定。

5.2 总平面布置

5.2.1 在满足工艺生产要求的前提下,总平面设计应因地制宜,合理利用地形,减少土石方工程。

5.2.2 大型建(构)筑物和生产装备等应布置在土质均匀、地基承载能力大的地段,对较大、较深的地下建(构)筑物,宜布置在地下水位较低的地段。

5.2.3 联合车间的布置符合下列规定:

　　1 全厂区的布置应以联合车间为主体建筑而展开,车间的长轴应利用地形地质和各工段生产工艺的特点,合理处理地形高差;

　　2 当厂区自然地形坡度较大时,熔化、成形工段宜位于设有地下防排水设施的地势较低和地基稳定地段。

5.2.4 原料车间的布置应符合下列规定:

　　1 原料车间应位于厂区全年最小频率风向的上风侧,并应减少粉尘对周围环境的污染;

　　2 原料车间建筑物宜组成联合建筑。

5.2.5 光伏压延玻璃工厂应设有碎玻璃堆场,碎玻璃堆场的布置应符合下列规定:

　　1 碎玻璃堆场应布置在车间进、出便利的地方,并应有足够空间满足碎玻璃进场、储存及转运的要求;

　　2 碎玻璃堆场的长度、宽度及布置方向应根据工艺布置和碎玻璃储存量的要求确定。

5.2.6 光伏压延玻璃工厂应设总变(配)电所,总变(配)电所宜靠近工厂负荷中心或主要用户。

5.2.7 变(配)电所的布置应符合下列规定:

1 变(配)电所应便于高压线的进线和出线；

2 变(配)电所不应设在有强烈振动的设施附近；

3 变(配)电所应避开在多尘、有腐蚀性气体和有水雾的场所，并应位于多尘、有腐蚀性气体场所全年最小频率风向的下风侧和有水雾场所冬季主导风向的上风侧；

4 车间变(配)电所宜利用车间底层空间或者辅房，并宜靠近用电负荷中心。

5.2.8 燃油储罐区的布置应符合现行国家标准《建筑设计防火规范》GB 50016、《石油库设计规范》GB 50074 及《储罐区防火堤设计规范》GB 50351 的有关规定。

5.2.9 天然气配气站应布置在靠近天然气总管进厂方向和至各用户支管较短的地点，并宜靠近联合车间的熔化工段。天然气配气站的布置应符合现行国家标准《建筑设计防火规范》GB 50016 及《城镇燃气设计规范》GB 50028 的有关规定。

5.2.10 压缩空气站的布置应符合下列规定：

1 压缩空气站应位于空气洁净的地段，应避开腐蚀性物质、有害气体及粉尘等场所；

2 压缩空气站的朝向应使站内有良好的自然通风和采光；

3 储气罐宜布置在站房的北侧；

4 压缩空气站的布置应符合现行国家标准《建筑设计防火规范》GB 50016 和《压缩空气站设计规范》GB 50029 的有关规定。

5.2.11 给水净化站和循环水设施的布置应符合现行国家标准《工业企业总平面设计规范》GB 50187 的有关规定。

5.2.12 成品仓库应根据成品出入方向、储存面积、运输方式等因素，按不同类别集中布置。

5.2.13 中心化验室的布置应符合下列规定：

1 中心化验室应布置在散发有害气体、粉尘以及循环水冷却塔等产生大量水雾设施全年最小频率风向的下风侧，并应有利于自然通风和采光；

2 中心化验室与振源的最小间距应符合现行国家标准《工业企业总平面设计规范》GB 50187 的有关规定。

5.2.14 维修车间宜靠近维修量较大的生产场所附近,并应符合下列规定:

1 机械修理和电气修理设施宜布置在环境洁净且自然采光及通风条件较好的地段,并应具有交通运输条件;

2 材料库宜靠近主要生产区和机修区布置;

3 备品备件库宜靠近机修区布置。

5.2.15 地中衡宜布置在工厂主要货物出入口处。

5.2.16 行政办公及生活服务设施,应布置在便于生产管理、环境洁净、交通便捷的地点。

5.2.17 行政办公及生活服务设施的用地面积不得超过项目总用地面积的 7%。

5.2.18 工厂应设置厂区围墙。围墙定位、高度、结构形式,应满足生产安全和当地规划的要求,并应与周围环境相协调。围墙至建筑物、道路、铁路和排水明沟的最小间距,应符合现行国家标准《工业企业总平面设计规范》GB 50187 和《建筑设计防火规范》GB 50016 的有关规定。

5.2.19 生产废水处理站应布置在工厂地势较低的位置。

5.2.20 生活污水处理站的布置应符合现行国家标准《城市排水工程规划规范》GB 50318 的有关规定,并应符合下列规定:

1 污水处理站应布置在厂区全年最小频率风向的上风侧;

2 污水处理站宜位于厂区地下水流向的下游且地势较低的地段;

3 沿江河布置的污水处理站及排出口应位于厂区的下游;

4 污水处理站与水源地和居住区之间应有卫生防护距离;

5 污水处理站宜靠近工厂污水排出口或城镇污水处理厂。

5.3 交通运输

5.3.1 工厂铁路、道路及码头的布置,除应执行本规范外,还应分别符合现行国家标准《Ⅲ、Ⅳ级铁路设计规范》GB 50012、《厂矿道路设计规范》GBJ 22等的有关规定。

5.3.2 厂内铁路线的布置应符合下列规定:

1 厂内铁路线应满足生产及近、远期运量的要求,并应便于厂内外运输作业的联系,规模较大的光伏压延玻璃工厂,可采用一次规划,分期实施;

2 装卸线的长度,宜满足一次到厂车辆停放和装卸作业的需要,并应与仓库、货场的容量相协调;

3 装卸线宜集中于同一走行干线上联接,并应满足扇形面积最小的原则;

4 在满足生产、装卸及运输作业要求的前提下,装卸线宜集中布置;

5 卸油线应为尽头式铁路,在停放油槽车的长度内,应为平直线;

6 卸油设施可布置在铁路的一侧或两侧;

7 露天堆场内的卸车线宜设在平直道上,条件不允许时,可设在规定范围内的坡道上或曲线上。

5.3.3 厂内道路的布置,应满足生产、运输、安装、检修、消防及环境卫生等要求,并应与厂区竖向设计和管线布置相协调。

5.3.4 沿厂区、储油罐区周围、联合车间、原料车间、天然气配气站厂房周围、木板堆场周围等均应设置环形道路。条件不允许时,可按现行国家标准《建筑设计防火规范》GB 50016的要求在场地(或车间)的两侧设置道路,并应设置可供消防车作业的回车场地。

5.3.5 当采用汽车运输原料、燃料、材料时,应设置货运专用道路,并宜避开厂内主要道路。

5.3.6 当联合车间为二层厂房时,在底层宜设置横穿联合车间的通道，且通道应与联合车间周围的道路相连接；通道净宽度不宜小于5.5m，净高度不应低于4.5m。

5.3.7 厂内主要道路宜减少与厂内铁路平面交叉。需要交叉时宜正交，需要斜交时，交叉角不宜小于45°。

5.3.8 厂内主要道路及货运专用道路应采用城市型和水泥混凝土路面结构，路面宽度不应小于6m。单行车道路面宽度宜为3.5m～4m；人行道宽度不宜小于0.75m。

5.3.9 货运码头应根据厂区总体规划、当地水路运输发展规划及码头的工艺要求进行选择。码头宜选址在河床稳定、水流平顺、流速适宜、堤岸牢固的河段上，并应有能满足船舶靠离作业所需的足够水深和水域面积。

5.3.10 货运码头宜靠近厂区。

5.4 竖向设计

5.4.1 竖向设计应与总平面布置同时进行，且应与厂区外现有和规划的运输线路、排水系统、周围场地标高等相协调。竖向设计方案应根据生产、运输、防洪、排水、管线敷设及土方（或石方）工程等要求，结合地形和地质条件进行综合比较后确定。

5.4.2 竖向设计应符合下列规定：

   1 应满足生产、运输要求；

   2 应有利于节约用地；

   3 应使厂区不被洪水、潮水及内涝水淹没；

   4 应合理利用自然地形，减少土方（或石方）、建（构）筑物基础、护坡和挡土墙等工程量；

   5 填方、挖方工程应防止产生滑坡、塌方，山区建厂时应保护山坡植被；

   6 应充分利用和保护现有排水系统；当需要改变现有排水系统时，应保证新的排水系统水流顺畅；

   7 应适应厂区景观的要求；

8 分期建设的工程,在场地标高、运输线路坡度、排水系统等方面,应使近期与远期工程相协调;

　　9 改建、扩建工程应与现有场地竖向设计相协调。

5.4.3 竖向设计应根据场地的地形和地质条件、厂区面积、建(构)筑物体积、生产工艺、运输方式、建筑密度、管线敷设、施工方法等因素合理选择设计形式。

5.4.4 场地平整、切坡等工程,应防止产生滑坡、塌方和地下水位上升。

5.4.5 建(构)筑物的室内地坪标高应符合下列规定:

　　1 厂区建(构)筑物室内地坪标高,应高出室外场地地面标高0.15m以上,建(构)筑物位于排水条件不良地段和有特殊防潮要求、有贵重设备或受淹后损失大的车间和仓库,高填方或软土地基的地段,应根据需要加大建(构)筑物的室内外高差;

　　2 玻璃成品库,原(粉)料库(仓)等有装卸运输要求的建筑物室内地坪标高,应与运输线路标高及装卸作业需要的标高相协调;

　　3 位于填土地段的建筑物,在满足生产及使用要求的前提下,宜减少基础埋置深度。

5.4.6 当工业场地的自然坡度大于5%时,厂区竖向宜采用阶梯式布置,阶梯的划分应符合下列规定:

　　1 阶梯的划分应与地形及总平面设计相适应;

　　2 生产联系密切的建(构)筑物应布置在同一台阶或相邻台阶上;

　　3 台阶的长边,宜平行等高线布置;

　　4 台阶的宽度应满足建(构)筑物、运输线路、管线和绿化等布置要求,以及操作、检修、消防和施工等的需要;

　　5 台阶的高度应根据生产要求及地形和地质条件,结合台阶间运输联系等因素综合确定,不宜高于6m;

　　6 台阶的边坡坡度及台阶坡顶至建(构)筑物的距离,应符合现行国家标准《建筑地基基础设计规范》GB 50007的有关规定。

5.4.7 场地排水应符合下列规定：

1 场地的平整坡度宜为0.3%~3%，困难地段的最大坡度不宜大于5%；

2 厂区地面水排水设计宜采用暗管（沟）排水方式，当采用暗管（沟）有困难时，可采用明沟排水方式；

3 厂内排水明沟宜做护面处理，对厂容、卫生和安全要求较高的地段，应加盖板。

5.5 管线综合布置

5.5.1 管线综合布置应与光伏压延玻璃工厂总平面布置、竖向设计和绿化设计相结合、统一规划。管线之间、管线与建（构）筑物、道路等之间在平面及竖向上应相互协调、紧凑合理、节约用地。

5.5.2 管线的敷设方式应根据管线内介质的性质、工艺和材质要求、生产安全、交通运输、施工检修和厂区条件等因素，结合工程的具体情况，经技术经济比较后综合确定。

5.5.3 管线综合布置在满足生产、安全、检修的条件下宜采用共架、共沟布置；地上、地下管道的布置应符合现行国家标准《工业企业总平面设计规范》GB 50187的有关规定。

5.5.4 管线综合布置应减少管线与道路交叉。当管线与道路交叉时，应力求正交。需要斜交时，交叉角不宜小于45°。

5.5.5 山区建厂时，应充分利用地形敷设管线，避免山洪、泥石流及其他不良地质现象对管线的危害。

5.5.6 分期建设的企业，管线布置应全面规划、近期集中、远近结合。近期管线穿越远期用地时，不得影响远期土地的使用。

5.5.7 地下管线与建（构）筑物之间的最小水平净距应符合本规范附录A的规定。

5.5.8 地下管线之间的最小水平净距应符合本规范附录B的规定。

5.5.9 地下管线之间的最小垂直净距应符合本规范附录C的

规定。

5.5.10 改建、扩建工程中的管线综合布置不应妨碍现有管线的正常使用。当管线净距不能满足本规范附录 A～附录 C 的规定时，可缩小 10%～15% 的净距。

5.6 绿 化 设 计

5.6.1 光伏压延玻璃工厂绿化设计应与总平面布置、竖向设计及管线布置统一进行，并应根据环境保护及厂容、景观的要求，结合当地自然条件、植物生态习性、抗污性能和苗木来源，因地制宜进行布置。

5.6.2 绿化布置应符合下列规定：

1 应在非建筑地段及零星空地进行；

2 应利用管架、栈桥、架空线路等设施的下面及地下管线带上面的场地；

3 应满足生产、检修、运输、安全、卫生及防火要求，不应与建（构）筑物及地下设施相互影响；

4 不应妨碍水冷却设施的冷却效果。

5.6.3 绿化布置宜以下列地段为重点：

1 进厂主干道及主要出入口两侧；

2 生产管理区内及周边；

3 生产车间、装置及辅助建筑物周边；

4 散发有害气体、粉尘及产生高噪声的生产车间、装置及堆场周边；

5 易受雨水冲刷的地段；

6 厂区生活服务设施周围；

7 厂区围墙内周边地带。

5.6.4 绿化用水宜优先使用中水。

6 原 料

6.1 原料的选择与品质要求

6.1.1 原料选择应根据光伏压延玻璃工厂生产规模、产品品种、产品的品质要求，结合矿物原料的品质、物理化学性能、运输方式等因素综合确定，宜选用合格粉料进厂方案。

6.1.2 原料的品质要求应符合下列规定：

1 硅质原料的品质应符合表6.1.2-1的规定；

表6.1.2-1 硅质原料的品质

主要氧化物含量（%）			粒度（%）		含水量（%）	相对密度＞2.9的重矿物	
SiO_2	Al_2O_3	Fe_2O_3	＞0.7mm	＜0.1mm		含量（%）	粒度（mm）
＞98.50	＜1.00	＜0.01	0	＜5.0	＜5.0	＜0.001	＜0.2

2 白云石的品质应符合表6.1.2-2的规定；

表6.1.2-2 白云石的品质

主要氧化物含量（%）		粒度（%）		含水量（%）	酸不溶物含量（%）
MgO	Fe_2O_3	＞2.5mm	＜0.1mm		
＞20.0	＜0.008	0	＜10	＜1.0	＜1.0

3 方解石的品质应符合表6.1.2-3的规定；

表6.1.2-3 方解石的品质

主要氧化物含量（%）		粒度（%）		含水量（%）	酸不溶物含量（%）
CaO	Fe_2O_3	＞2.5mm	＜0.1mm		
≥54	＜0.008	0	＜10	＜1.0	＜1.0

4 氢氧化铝的品质应符合表6.1.2-4的规定；

表6.1.2-4 氢氧化铝的品质

主要氧化物含量(%)		粒度(%)	含水量
Al_2O_3	Fe_2O_3	>0.1mm	(%)
≥65	<0.01	0	<1.0

5 纯碱的品质应符合现行国家标准《工业碳酸钠及其试验方法》GB 210 Ⅰ类或Ⅱ类优等品的规定；应优先选用重碱；

6 芒硝的品质应符合现行国家标准《工业无水硫酸钠》GB/T 6009中一级或二级品的规定；

7 三氧化二锑的品质应符合现行国家标准《三氧化二锑》GB/T 4062中一类产品的规定；

8 焦锑酸钠的品质应符合现行行业标准《锑酸钠》YS/T 22中一级或二级品的规定；

9 硝酸钠的品质应符合现行国家标准《工业硝酸钠》GB/T 4553中一类产品的规定。

6.2 玻璃化学成分

6.2.1 光伏压延玻璃成分应符合表6.2.1的规定。

表6.2.1 光伏压延玻璃成分(%)

SiO_2	Al_2O_3	Fe_2O_3	CaO	MgO	Na_2O+K_2O	SO_3
71~73	0.8~1.6	0.008~0.012	8.5~10.5	2.5~4.0	13.0~14.5	0.2~0.3

6.2.2 配料计算应符合下列规定：

1 生产优质光伏压延玻璃宜测定原料的化学需氧量(COD)值；

2 芒硝含量不应大于3.5%；

3 应计入纯碱在熔窑中的飞散量；

4 配料计算中应同时计算碎玻璃带入的Fe_2O_3量。

6.2.3 配合料的质量应符合下列规定：

1 配合料含水率应为 3%～5%；混合机出口温度应为38℃～42℃；

2 碱含量标准离差值不应大于 0.28；

3 配合料中不应有团、块；

4 应避免粉尘回收对配合料质量的影响；

5 碎玻璃入窑前应经除铁处理。

6.3 工艺设备选型

6.3.1 设备选型应符合下列规定：

1 应选用技术先进、经济合理、噪声低、耗能少、可靠耐用的设备；

2 同类设备宜选用同型号的设备；

3 设备生产能力应根据设备检修维护的需要留有一定的富余量；

4 设备结构应避免将金属杂质带入原料。

6.3.2 称量及混合设备选型应符合下列规定：

1 称量设备的静态精度应为 1/2000；动态精度不应低于 1/1000；

2 称量时间应小于集料输送时间和混合时间之和；

3 应选用密封好、混合均匀度高、混合时间短、易损件寿命长、便于检修、节能的混合设备。

6.3.3 配合料输送设备选型应符合下列规定：

1 胶带输送机应防止漏料，并应避免配合料分层；

2 胶带输送机应设有排除废配合料的装置；

3 输送系统中宜设置应急供料装置。

6.3.4 溜管、溜槽及料仓应符合下列规定：

1 溜管、溜槽应通畅、耐磨、密封、方便拆卸与修补，并应采取防铁措施；

2 缓冲料仓、粉料料库下部仓斗应采用钢结构，并应配置耐磨、防铁内衬。

6.4 工艺流程及布置

6.4.1 原料系统各工序应布置紧凑、简捷、流畅、工艺环节少、缩短物料运输距离,并应避免物流、人流交叉相互影响。

6.4.2 原料的加工和运输应采用机械化、自动化和密封的工艺流程。

6.4.3 纯碱、芒硝、硝酸钠仓的储存量应为1.5d～3d,其他原料的储存量不应少于3d的用量。

6.4.4 粉料仓应设置助流破拱装置。

6.4.5 原料工艺流程中,应设有除铁、防铁装置。斗式提升机料斗宜采用高强度非金属材料,进、出料口应设置耐磨防铁内衬。

6.4.6 混合机筒体内衬应采用耐磨钢板或高分子聚乙烯材料;混合机下方应设缓冲钢料仓,仓壁应配置耐磨防铁内衬。

6.4.7 混合机内加水、加蒸汽应设计量装置。

6.4.8 应设有原料称错时的排出装置。

6.4.9 碎玻璃不应进入混合机。

6.4.10 原料车间大型设备应设有检修设施。

6.4.11 外露提升机头部和机身应有防雨设施。

6.4.12 车间内人行通道的宽度不得小于1.0m。

6.4.13 胶带输送机通廊的净空尺寸,应符合本规范附录D的规定。

6.4.14 车间内各工作场所噪声限值应符合现行国家标准《工业企业噪声控制设计规范》GB/T 50087的有关规定。

6.4.15 纯碱、芒硝生产操作区域内不应用水冲洗设备、墙和地面,且不应设置降尘喷雾风扇。

6.4.16 原料车间内应设有更衣室、化验站、易损件库,可设淋浴室。

7 联合车间

7.1 一般规定

7.1.1 主要工艺技术指标应根据建厂要求的产品质量、产品方案,结合实际建设条件选定。

7.1.2 工艺设备的选择应符合技术先进、运行可靠、确保重点、相互适应的要求,并应满足生产优质产品的需要。

7.1.3 压延机机组的利用率不应低于95%。

7.2 熔化系统

7.2.1 供料系统应符合下列规定:

   1 窑头料仓应符合下列规定:

     1) 宜储存3h~4h的熔窑用料量;

     2) 应设有料位检测装置;

     3) 应有收尘设施。

   2 投料机选型应符合下列规定:

     1) 投料能力应满足熔化量的需要;

     2) 入窑料的落差应小;

     3) 应便于调整偏料和料层厚度。

7.2.2 熔窑燃烧系统应符合下列规定:

   1 应采用火焰长度可调、燃烧效率高、低噪声、低NO_x排放的燃油或燃气喷枪;

   2 每对小炉应设一组燃料流量计量调节装置;

   3 燃料油宜采用蒸汽、电两级加热,温度应分级控制;

   4 燃烧系统的工艺参数应实行自动监测与控制。

7.2.3 熔窑助燃风系统应符合下列规定:

1 助燃风量、风压应满足熔窑在不同工况和熔窑后期增量的需要，并应有备用风机；

2 应有助燃风自动调节装置。

7.2.4 熔窑燃烧换向系统应符合下列规定：

1 换向系统控制应符合下列规定：

1）应设自动、半自动和手动换向装置；

2）控制室应设换向程序显示屏。

2 换向方式应根据燃料种类确定，并应符合下列规定：

1）重油宜采用支管换向，雾化介质宜采用总管或分区换向；

2）天然气宜采用支管换向。

3 烟气换向可采用支烟道或分支烟道换向的烟气交换机。

4 当采用分支烟道单独传动时，应采用同步控制。

7.2.5 熔窑冷却风系统应符合下列规定：

1 对熔窑吹冷却风的部位应根据熔窑结构的要求确定；

2 冷却风保护应符合下列规定：

1）熔窑自投产开始，冷却风不得中断，车间内应有备用风机；

2）冷却风出口的风速和风量应满足冷却部位的冷却要求。

7.2.6 熔窑结构设计应符合下列规定：

1 熔窑结构设计原则应包括下列内容：

1）满足生产工艺、生产规模和玻璃液质量的要求；

2）适应燃料与配合料的性能要求；

3）满足燃料燃烧工艺要求；

4）节能降耗；

5）宜采用新结构、新技术的窑型；

6）应根据窑龄、燃料种类及燃烧工艺等合理配套选用优质耐火材料。

2 熔窑结构设计主要技术指标应符合下列要求：

1）熔化量可按 300、400、500、600、700 及以上进行分级；

2) 重油、天然气熔化率宜符合表 7.2.6-1 的规定;

表 7.2.6-1 熔化率

熔化量(t/d)	熔化率(t/m²·d)
300	1.7～1.9
400	1.9～2.1
500、600	2.0～2.2
700 及以上	>2.2

注:1 采用全氧助燃时,同等规模的窑炉,熔化率可比表中高 10%～15%。
　2 熔化面积的计算长度:空气助燃窑算至末对小炉中心线后 1.0m 处,全氧助燃窑算至末支喷枪后 1.0m 处。

3) 单位重量玻璃液热耗宜符合表 7.2.6-2 的规定。

表 7.2.6-2 单位重量玻璃液热耗

熔化量(t/d)	单位重量玻璃液热耗(kJ/kg)
300	≤8165
400	≤7537
500	≤7034
600	≤6532
700 及以上	≤6280

注:1 单位重量玻璃液热耗以重油为计算基础,当燃料采用天然气或焦炉煤气时,可乘以系数 1.05～1.15。
　2 熔窑后期热耗应乘以系数 1.1。
　3 燃料热值应采用低位发热值。
　4 采用全氧助燃窑炉的热耗应比空气助燃窑炉低 10%～25%。

3 熔窑钢结构设计应符合下列规定:

1) 熔窑各部位钢结构设计应能适应窑体在升温和降温条件下的受力、变形特性及设定的可调性能;
2) 处于地震区的熔窑钢结构布置和联结,应有利于在地震力作用下的窑体各部分整体稳定。

4 熔化部窑池深度和池底密封应符合下列规定:

1)熔化部窑池深度不宜低于1.4m;
2)熔化部池底除设有电熔锆刚玉(AZS)铺面砖外,还应设有厚度不小于25mm的池底密封层,密封层的材质应采用锆质(或锆英石质)密封料(或浇注料)。

5 熔窑的保温设计应符合下列规定:
1)熔窑应实施全保温;
2)保温材料应根据保温部位砌体的材质和交界面的温度选择;
3)通路池壁砖缝处不应保温。

6 小炉结构设计应符合下列规定:
1)小炉对数应根据熔化量、燃料种类、熔化率以及温度曲线等因素确定;
2)一侧小炉口总宽度应占熔化部总长度的48%~59%。

7 蓄热室结构设计应符合下列规定:
1)蓄热室宜使用筒形砖、十字形砖等体比表面积较大的异形格子砖;
2)格子体受热面积应按每平方米熔化面积计算,宜选用$35m^2$~$50m^2$。

8 烟道应做密封和保温。

9 烟囱设计应满足熔窑生产时的抽力需要和熔窑后期阻力增加的需要。

10 冷修放玻璃水宜采用水淬法。

7.3 成形系统

7.3.1 成形系统设计应符合下列规定:

1 从熔窑溢流口到退火入口的距离应满足成形要求;

2 成形区上部、左、右应设计隔热装置;

3 成形区所有辊子应有冷却措施;

4 成形过程的各项参数宜实施自动控制。

7.3.2 成形系统主要性能应符合下列规定:
    1 压延辊辊径应根据拉引量合理配置;
    2 压延辊应满足高温环境使用要求;
    3 拉引速度应满足生产不同玻璃板厚的要求;
    4 玻璃液面和退火辊上表面应有高差。

7.4 退火系统

7.4.1 退火系统设计应符合下列规定:
    1 应保证玻璃带的退火质量,满足切裁、二次加工及使用;
    2 退火窑辊道拉引速度范围应满足生产不同厚度玻璃的需求。

7.4.2 退火系统主要性能及配置应符合下列规定:
    1 退火窑宜采用密封式全钢结构;
    2 退火窑宜采用电加热;
    3 玻璃带在退火窑内不同的温度区间宜采用不同的冷却速度及冷却方式;
    4 退火窑的入口上方宜设置可调挡板;
    5 退火窑辊道的传动应采用无级调速,并应设置备用传动站;
    6 玻璃带在退火窑辊道上全长允许跑偏量应为±30mm;
    7 应合理配置退火窑辊子的材质;
    8 应配备专用换辊车。

7.5 冷端系统

7.5.1 冷端系统主要性能及配置应符合下列规定:
    1 拉引速度范围应满足生产不同厚度玻璃的需要;
    2 切割精度应符合现行行业标准《太阳电池用玻璃》JC/T 2001的有关规定;
    3 输送辊道设计应符合下列要求:

1）玻璃板在输送辊道上全长允许跑偏量应为±50mm；
2）输送辊道宜采用分段传送方式；
3）输送辊道应有避免传送过程中玻璃碰撞、擦伤的措施。

7.5.2 冷端系统的分区及装备的设置应符合下列规定：

1 玻璃质量检验和预处理区的设置应符合下列规定：
1）宜配备缺陷检测仪，并应设玻璃缺陷人工检测室；
2）应设应急横切机、应急落板装置；
3）宜设置吹风清扫装置。

2 切割掰板区的设置应符合下列规定：
1）可设置板边、断板检测装置；
2）应设置测长发讯装置；
3）应设置纵切机、横切机；
4）应设置横向掰断装置；
5）应设置加速辊道；
6）应设置掰边辊道及掰边装置；
7）宜设置纵掰、纵分装置；
8）宜设主线落板装置。

3 分片堆垛区的设置应符合下列规定：
1）分片装置、分片线、堆垛机应根据玻璃板的规格、生产工艺布置选型；
2）宜设喷粉机或铺纸机；
3）生产线末端宜设置气垫桌。

7.6 碎玻璃系统

7.6.1 冷端生产线产生的碎玻璃，应通过输送带直接进入碎玻璃仓。碎玻璃仓应采用耐磨堆焊钢板制作，并应能储存熔窑 1d～2d 生产用碎玻璃量。

7.6.2 落板装置及掰边装置下面应设破碎机。破碎后的玻璃块径不应大于 50mm。

7.6.3 碎玻璃送至储仓前应有除铁、防铁措施。

7.6.4 光伏压延玻璃工厂可按生产需要设置露天碎玻璃堆场或室内碎玻璃堆场。

7.6.5 碎玻璃堆场围墙应设置木板护体。

7.7 成品包装、运输、储存

7.7.1 成品玻璃包装应符合下列规定：

　　1 成品玻璃宜选用集装架或木箱包装，包装应便于装卸、运输；

　　2 每包包装的玻璃数量应与包装物的强度相适应。

7.7.2 成品玻璃的储存与成品库应符合下列规定：

　　1 成品玻璃应储存在库房内。

　　2 成品库面积可按 15d～45d 的玻璃产量计算。

　　3 单位面积储存成品玻璃量应符合下列规定：

　　　1）集装架码垛时，每平方米不应少于 200m² 的玻璃；

　　　2）木箱按两层码垛时，每平方米不应少于 400m² 的玻璃。

　　4 成品库面积利用系数应为 0.7～0.8。

　　5 成品库内应设置与堆存、外运相适应的运输、吊装设备。

7.8 联合车间工艺布置

7.8.1 联合车间工艺布置应符合下列规定：

　　1 车间布置应工艺流程顺畅、操作运输方便，并应安全、卫生、防振、降噪、空间规整；

　　2 应合理利用厂房空间；

　　3 车间内的各类管道、电缆应统筹布置、整齐顺畅。

7.8.2 熔化工段工艺布置应符合下列规定：

　　1 熔化底层或地下室的布置应符合下列规定：

　　　1）空气蓄热室外壁至厂房构件的净距不宜小于 3.5m；

　　　2）熔窑窑底和蓄热室周围的操作净距及地面工艺布置，应满足设备安装、检修及消防的需要。

2 熔化一层或二层的布置应符合下列规定：

1）投料池壁至车间山墙前的净距不宜小于12m；

2）二层或一层楼面与室外有较大高差时，应有垂直运输设备或搭临时坡道位置；

3）二层或一层楼面应有直接对外联系的楼梯以及直通底层、投料平台的楼梯。

3 熔化空间的高度应符合下列规定：

1）底层空间高度应满足蓄热室热修高度和设备安装高度的要求；

2）屋架下弦高度，应根据配合料输送方式和设备选型确定。

7.8.3 成形工段工艺布置应符合下列规定：

1 成形底层的布置应符合下列规定：

1）二层厂房时，成形冷却设施宜设置在底层厂房内；

2）单层厂房时，应设置用于布置成形冷却设施的地坑（地沟），地坑（地沟）周围的操作净距及地面布置应满足设备安装、检修的需要。

2 成形操作区应包括压延机更换、维修区域，操作楼（地）面应设排水沟。

3 成形操作区宜安装设备检修用的起重运输设备。

4 成形操作层与底层（地坑内）、中间操作平台之间应设置直通楼梯与通道。

5 成形操作层宜设集中控制室。

6 成形操作层应设置压延辊储存及维修间。

7.8.4 退火工段工艺布置应符合下列规定：

1 退火工段操作层的厂房宽度，传动站侧不宜小于3m，非传动站侧应满足抽换退火窑辊道的需要；

2 退火工段操作楼（地）面标高宜与成形工段操作楼（地）面标高一致；

3 若采用二层厂房方案,退火工段操作层与底层之间应设置直通楼梯。

7.8.5 冷端系统的工艺布置应符合下列规定：

1 切裁工段及地下皮带廊的空间尺寸应满足碎玻璃系统的布置要求；

2 成品库、集装箱(架)堆场与储库宜紧靠切裁工段布置；

3 切裁工段操作层厂房的宽度、长度及标高应根据冷端机组的工艺布置形式确定,机组两侧和末端的净距应满足吊装和叉装设备的装卸及运输要求；

4 切裁工段操作层应设冷端控制室、玻璃质量检验室等辅助用室。

8 燃 料

8.1 一般规定

8.1.1 燃料应满足生产工艺的要求,并应合理利用、节能高效、近地供应,有利于环境保护。

8.1.2 熔窑宜采用重油、天然气、焦炉煤气等高热值燃料。成形工段用燃料宜采用天然气、焦炉煤气、液化石油气等气体燃料。

8.1.3 熔窑用燃料应保证热值和压力稳定、供应连续可靠。

8.2 燃 油

8.2.1 燃油站的设计应符合现行国家标准《石油库设计规范》GB 50074 和《储罐区防火堤设计规范》GB 50351 的有关规定。

8.2.2 熔窑使用的重油应符合现行行业标准《燃料油》SH/T 0356 的有关规定。

8.2.3 压力管道的设计应符合现行国家标准《压力管道规范 工业管道》GB/T 20801 和《工业金属管道设计规范》GB 50316 的有关规定。

8.2.4 供卸油系统的工艺布置,应符合下列规定:

  1 铁路、公路运输时宜采用重力自卸方式,水路运输时应采用油泵卸油;

  2 卸油房的布置应符合下列规定:

   1)油泵房宜为独立的地上式建筑;

   2)油泵房宜设有控制室、油泵间,控制室与油泵间的隔墙上应设观察窗;

   3)油泵宜单排布置。

8.2.5 油站设备的选型应符合下列规定:

1 卸油泵不应少于 2 台；

2 供油泵不应少于 3 台；

3 油泵宜选用螺杆泵或齿轮泵；

4 泵前应设过滤器，过滤器应便于清洗，并应有备用过滤器；

5 过滤器滤网的总流通面积与进口管断面面积的比值不应小于 10，过滤网孔应符合油泵要求；

6 油罐宜选用蒸汽加热，也可选用电加热和热导油加热；

7 油罐宜选用立式拱顶钢油罐；

8 油罐不宜少于 2 座。

8.2.6 燃油管道设计应符合下列规定：

1 油管道应设蒸汽伴管、热导油伴管或电热带保温；

2 油管道应设蒸汽吹扫装置；

3 油管道应做防静电接地。

8.2.7 联合车间供油系统应符合下列规定：

1 车间油路系统方式应符合下列规定：

1）车间设中间油罐及油泵时，宜采用厂区油站向中间油罐单供单回系统，不设中间油罐时，宜采用厂区油站直接向车间供油的单供单回系统，供回油比可取 5∶2～2∶1；

2）向熔化部燃烧喷枪供油，可采用开式油路系统或燃油在管内做逆循环的闭式油路系统。

2 熔窑燃油应采用压缩空气做雾化介质。

3 车间油路系统的设备选型应符合下列规定：

1）油路系统设置中间油罐时，油罐间应设供油泵和过滤器；

2）室内油罐容积不宜大于 $10m^3$；

3）室内油罐内油温不应超过 90℃，油罐上应设有油温指示和报警、液面指示和报警及溢流口等装置；

4）供油泵、过滤器应符合本规范第 8.2.5 条第 2 款～第 4 款的规定；

5）燃油加热器可根据油质情况采用蒸汽加热器单级加热或

电加热器两级加热；

  6）燃油流量计宜采用质量流量计；

  7）燃油喷嘴应选用燃烧效率高、节能和低噪声的产品。

 4　车间油泵、油罐间的布置应符合下列规定：

  1）设备基础的顶面标高应高出地坪标高 200mm 以上；

  2）室外应设污油池，污油不得排入下水道；

  3）油罐溢流管应接至污油池。

8.3 天然气

8.3.1　天然气站、天然气管道应按现行国家标准《建筑设计防火规范》GB 50016、《城镇燃气设计规范》GB 50028、《压力管道规范 工业管道》GB/T 20801 和《工业金属管道设计规范》GB 50316 的有关规定进行工程设计。天然气站宜独立设置，宜采用调压计量撬，也可采用敞开式或半敞开式建筑结构。

8.3.2　厂内应有一用一备两个供气源，当无两个气源时，应设有其他备用燃料。

8.3.3　配气站的工艺布置应符合下列规定：

 1　厂内天然气系统宜设两级调压，厂区应设一级调压配气站，用气车间内应设二级调压配气室；

 2　厂区调压配气站内应设过滤、计量、调压、旁通、安全放散及泄漏报警等装置；

 3　厂区调压配气站内通道宽度不应小于 2m，厂区调压配气站外应设消防通道；

 4　输气管材的选型应在满足安全可靠的前提下，经综合比较后确定。

8.3.4　联合车间的天然气系统应符合下列规定：

 1　进车间干管应设总关闭阀、过滤器、紧急切断阀和放散管等装置。

 2　车间应设配气室和调压装置。

3 天然气系统的设备选型应符合下列规定：
   1）熔窑宜选用节能环保型天然气喷枪；
   2）调节阀应选用常闭式。

8.3.5 天然气调压配气室的建筑耐火等级不应低于现行国家标准《建筑设计防火规范》GB 50016 规定的二级，用电要求应为防爆1区。

8.4 焦炉煤气

8.4.1 焦炉煤气低位热值不应低于 $12000kJ/Nm^3$。

8.4.2 焦炉煤气系统应有重油或天然气做第二燃料。

8.4.3 焦炉煤气的加压机应有备用。

8.4.4 焦炉煤气管道应设管道泄压装置。

8.4.5 联合车间的焦炉煤气系统应符合下列规定：

   1 进车间干管应设总关闭阀、过滤器、紧急切断阀和放散管等装置。

   2 车间应设配气室和调压装置。

   3 焦炉煤气系统的设备选型应符合下列规定：
   1）熔窑宜选用节能环保型焦炉煤气喷枪；
   2）调节阀应选用常闭式。

8.4.6 焦炉煤气调压配气室的建筑耐火等级不应低于现行国家标准《建筑设计防火规范》GB 50016 中规定的二级。用电要求应为防爆1区。

9 建筑与结构

9.1 一般规定

9.1.1 建筑结构设计应满足生产工艺设备布置要求,流线设计应简捷、顺畅。

9.1.2 在满足生产工艺要求的前提下,光伏压延玻璃工厂的建筑结构设计应满足采光、通风、防寒、隔热、防水、防雨、隔声等要求。

9.1.3 建筑结构设计应采用成熟的新结构、新材料、新技术。

9.1.4 建(构)筑物的防火设计应符合现行国家标准《建筑设计防火规范》GB 50016 的有关规定。主要生产车间及建(构)筑物的生产的火灾危险性类别、建筑最低耐火等级应符合本规范附录 E 的规定。

9.1.5 功能相近的辅助车间、生产管理及生活建筑宜合并建设。

9.1.6 建(构)筑物安全等级应根据结构破坏后果的严重性,按表 9.1.6 的规定执行。

表 9.1.6 建(构)筑物安全等级

安全等级	破坏后果	建(构)筑物名称
二级	严重	三级以外的建(构)筑物
三级	不严重	碎玻璃堆场、袋装库、地磅房、车棚、厕所、围墙

9.1.7 建(构)筑物抗震设防的分类应按使用功能的重要性、工厂的生产规模、停产后经济损失的大小和修复的难易程度等因素来划分,并应符合表 9.1.7 的规定。

表 9.1.7 建(构)筑物抗震设防分类

序号	抗震设防类别	建(构)筑物名称
1	重点设防类	变(配)电所、氧气站、循环水泵房、焦炉煤气站、窑底支承结构

续表 9.1.7

序号	抗震设防类别	建(构)筑物名称
2	标准设防类	除1、3类以外的建(构)筑物
3	适度设防类	碎玻璃堆场、袋装原料库、地磅房、车棚、厕所、围墙

9.1.8 在满足生产工艺要求的前提下，光伏压延玻璃工厂的结构设计应符合平面、立面和竖向剖面的规则性要求。不规则的建筑物应按规定采取加强措施；特别不规则的建筑物应进行专门的研究和论证，并应采取特别的加强措施。

9.1.9 地基基础的设计除应满足现行国家标准《建筑地基基础设计规范》GB 50007 和《建筑抗震设计规范》GB 50011 的有关规定外，还应结合生产设备对地基变形的适应程度、上部结构类型、房屋高度、施工技术和经济条件等因素，综合确定地基基础设计方案。

9.1.10 建筑在高压缩性软土地基上的厂房，建筑物室内或附近地面有大面积堆料时，应计入地面堆载所产生的地基不均匀变形，以及堆载对上部结构的不利影响，并应采取相应的处理措施。

9.1.11 全厂各生产车间的楼面均布活荷载标准值应按本规范附录 F 选用，有特殊要求时应按工艺设计要求决定。办公、生活用房楼面均布活荷载标准值应符合现行国家标准《建筑结构荷载规范》GB 50009 的有关规定。

9.1.12 改建、扩建工程的建筑与结构设计，应查清原有建筑结构及地下管沟、电缆等设施的现状，以及原有设计、施工资料及结构的实际承载能力等，并应合理利用原有建筑物。

9.1.13 当既有结构需延长使用年限、改变用途、改建、扩建或需要进行加固、修复时，均应按现行国家标准《建筑抗震鉴定标准》GB 50023 进行评定、验算或重新设计。加固改造方案应新老结构相结合，拆除、加固、使用全过程应安全可靠且便于施工。

9.2 生产车间与辅助车间

9.2.1 生产厂房应利用天然采光。当天然采光不能满足要求时，可辅以人工照明。

9.2.2 厂房内工作平台上部的净高及楼梯至上部构件底部的高度不宜低于2.2m。

9.2.3 厂房内通道宽度应按人行、配件的搬运及车辆运行等要求确定，并应满足现行国家标准《建筑设计防火规范》GB 50016中关于疏散宽度的相关规定。

9.2.4 辅助车间的设计应满足各主体专业的要求，并应有天然采光和自然通风。

9.2.5 生产过程中有可能突然散发大量爆炸气体的场所应设置防爆泄压设施，并应符合现行国家标准《建筑设计防火规范》GB 50016中关于厂房或仓库的防爆的有关规定。

9.3 辅助用室、生产管理及生活建筑

9.3.1 辅助用室、生产管理及生活建筑外围护结构的热工性能应符合当地节能设计标准。

9.3.2 工具间、材料间应有围护结构与生产区隔开，面积不宜小于6m^2。

9.3.3 中心化验室设计除应符合本规范第9.5节的规定外，建筑设计还应符合下列规定：

    1 中心化验室的地面、墙面及顶棚应便于清扫；

    2 室内允许噪声级应为60dB(A)。

9.3.4 食堂的设计宜符合下列规定：

    1 厂区食堂宜设置在厂前区；

    2 食堂的建筑面积宜按最大班职工总数的70%一次进餐、人均建筑面积按1.5m^{2}计算，其中餐厅建筑面积宜为食堂建筑面积的50%～55%。

9.4 建筑构造设计

9.4.1 屋面设计应符合下列规定：

1 屋面的坡度应根据防水材料、构造及当地气象等条件确定；当为改建、扩建工程时，防水材料与构造的选择宜与玻璃生产线建筑一致；钢筋混凝土屋面坡度不应小于1：50，金属压型板屋面坡度不应小于1：20；

2 厂前区及辅助建筑的屋面可采用有组织排水，生产厂房的屋面可采用自由排水；屋面的排水坡度应满足现行国家标准《民用建筑设计通则》GB 50352 的有关规定；

3 各类屋面的结构层及保温层或隔热层应采用非燃烧体材料。设保温层的屋面，应采取防止结露的措施。

9.4.2 墙体设计应符合下列规定：

1 寒冷及风沙大的地区，建筑围护结构应以封闭式为主；散热量大或要求具备通风条件的车间可采用敞开式或半敞开式厂房，但应有防雨设施；

2 噪声较大的车间，应减小外墙上的门、窗面积，外围护结构应具有隔声性能；

3 粉尘较大的车间应有封闭的外围护结构。

9.4.3 原料车间构造设计应符合下列规定：

1 储料库、均化库应根据工艺设备的具体要求进行构造设计；挡料墙的墙体构造应能经受吊车抓料斗的撞击，储库内卸料坑及硅砂储库底部均应有渗水及排水措施；

2 原料车间内应减少表面突出易集尘构件。楼地面、墙面应便于用水冲洗，并应将水排至地漏、水沟，孔洞边缘均应做泛水翻沿。对集聚碱性粉尘的楼地面及屋面应作防腐蚀处理。

9.4.4 联合车间熔化工段、成形退火工段的屋面瓦材宜采用轻质、防水性能好、耐高温、耐腐蚀材料。

9.4.5 有运输设备出入的车间门尺寸应按运输设备尺寸确定。

大门应比通过的运输设备高、宽至少各多出0.6m。人行门宽不应小于1.0m。

9.4.6 生产车间的窗户在人正常开启有困难的高处宜采用配开窗机的可开启窗或固定的采光、通风口。

9.4.7 有隔声及防火要求的门窗应采用相应的配件。

9.4.8 楼梯及防护栏杆的设计应符合下列规定：

　　1 车间可采用钢梯作为楼层和工作平台之间的垂直交通通道，主梯宽度不应小于0.9m；

　　2 钢梯角度宜选用45°，室外钢梯宜采用钢格板踏步；

　　3 车间各类平台的临空周边、垂直运输孔洞以及楼梯洞口的周边应设置防护栏杆，防护栏杆的防护高度不应小于1.1m，栏杆底部应设高度不小于100mm的防护板。

　　注：栏杆高度应从楼地面或屋面至栏杆扶手顶面垂直高度计算，如底部有宽度大于或等于0.22m，且高度低于或等于0.45m可踏部位，应从可踏部位顶面起计算。

9.4.9 楼面、地面、散水的设计应符合下列规定：

　　1 建（构）筑物的外围应设散水，人行门下应设台阶，车行门下应设坡道；

　　2 车间宜采用混凝土地面、楼面；

　　3 有洁净、耐酸碱、不发火花等要求及布设电线的地面、楼面，应采用环氧树脂、玻化砖、不发火花楼地面及抗静电活动地板等相应材料；

　　4 湿陷性黄土、膨胀土、冻胀土地区的地面、散水、台阶、坡道的设计，应符合国家现行标准《湿陷性黄土地区建筑规范》GB 50025、《膨胀土地区建筑技术规范》GB 50112、《冻土地区建筑地基基础设计规范》JGJ 118的有关规定；

　　5 有可能积水的房间地面、楼面标高，宜低于相通的走廊或房间的地面、楼面标高，且不宜小于20mm。位于楼层上可能积水的房间，楼面应设整体防水层。

9.4.10 地沟、地坑及地下防水的设计应符合下列规定：

1 地坑底面低于地下水设防标高时，应按防有压水处理，可采用防水混凝土或防水混凝土加柔性防水层的做法；地坑底面高于地下水设防标高时，可按防无压水做防潮处理；

2 地坑及地下廊分缝处，应做防水处理；

3 地沟、地坑应设集水坑。

9.5 主要车间建筑结构布置

9.5.1 原料车间建筑与结构布置应符合下列规定：

1 原料储库、挡料墙、粉料仓、混合房等原料车间的主要建（构）筑物，应根据地基条件和上部结构荷载分布情况设置变形缝，并应计入大面积堆载对周围基础的影响；

2 应合理选择设备支承结构的抗振刚度，并应使支承结构的振幅和振动加速度限制在允许范围内；对于振动较大的设备应采用与厂房脱开的独立支承，当难以脱开时应采取减振措施；

3 原料车间设计应对有噪声源的部位进行隔离，因生产流程难以分隔的部位应单独设操作控制室（或值班室），操作控制室（或值班室）的外围护结构应具有隔声能力；

4 原料车间应有贯通车间的上下楼梯。

9.5.2 联合车间建筑与结构布置应符合下列规定：

1 联合车间各主要工段之间应结合工艺设备布置设置温度缝或沉降缝，当不便设置时应计算温度变化产生的附加应力；

2 熔窑窑体支承结构应与厂房结构完全脱开；

3 熔化工段厂房柱网布置应满足生产操作、熔窑冷热修的要求，并应为熔窑冷修时的局部改造留有余地；

4 熔化工段、成形退火工段均应设置排热天窗，排热天窗宜避开成形溢流口处；

5 熔化工段屋架下弦至窑碹顶面距离不得小于 4m；

6 当熔化工段为地下室方案时，地下建筑应设置通风干燥设施；

7 熔化、成形退火工段的大功率风机应做减振处理；

8 退火窑支承结构宜结合设备布置设置温度缝，并应适当增加抗温度应力配筋，不设温度缝时，应采取措施降低温度对支承结构应力和变形的不利影响；

9 退火、冷端工段主车间两侧布置有附房时，应在主车间的外墙上开设高侧窗。

9.6 主要车间结构选型

9.6.1 原料车间的结构选型应符合下列规定：

1 原料车间粉料库、混合房等主要厂房宜采用钢筋混凝土结构，均化库、储料库等大跨度结构应采用轻钢结构；

2 粉料库根据工艺要求可为矩形排库、塔库或圆筒仓，库壁宜采用钢筋混凝土结构，仓斗宜采用钢结构；

3 附着在建（构）筑物外面的斗式提升机，其机身及所属走道、平台均应计算风荷载的作用，并应与建（构）筑物有可靠连接。

9.6.2 联合车间的结构选型应符合下列规定：

1 二层方案的联合车间宜采用钢筋混凝土框排架结构，屋面宜为轻钢结构，一层方案的联合车间宜采用轻钢结构，熔化工段、成形工段屋面钢结构还应满足耐高温、耐腐蚀的要求；

2 熔化、成形工段的楼面应采用钢筋混凝土结构或钢梁混凝土板组合结构，并应能承载熔窑安装和冷修时耐火砖材和铁件的撞击；

3 熔化工段的屋架杆件表面应刷耐腐蚀涂层；

4 应根据生产操作条件做楼面限载标志；

5 当熔化工段底层为地下室方案且埋置深度较大时，地下室侧壁宜采用扶壁式挡墙；地坑底板厚度不宜小于1200mm；需要采取抗浮措施时宜优先采用抗浮锚杆。

9.6.3 熔窑底支承结构设计应符合下列规定：

1 窑底结构设计除应计入窑体荷重外,还应计入窑体高温影响,并应做抗热结构设计,熔窑支承结构的基础应满足窑体对基础沉降量的控制要求;

2 窑底紧靠地下高温烟道的柱、基础,应根据地下温度的分布选用合适的材料,并应采用地下隔热、通风洞等降温措施;

3 基础顶部与高温烟道底板相连部位应留膨胀缝;

4 对熔化工段可能直接受窑体明火作用的结构构件表面应做隔热防护;

5 对蓄热室和烟道底板及直接受高温作用的闸板支架等结构,应采用耐热混凝土材料建造;

6 抗震设防烈度为6度的地区,玻璃熔窑窑底支承结构的抗震设防应按7度设计。抗震设防烈度高于6度地区的抗震设计,应符合现行国家标准《建筑抗震设计规范》GB 50011的有关规定。

9.6.4 当风机、空压机不带减震设施时,基础应做隔振设计。

9.7 构 筑 物

9.7.1 构筑物抗震设计应符合现行国家标准《构筑物抗震设计规范》GB 50191的有关规定。

9.7.2 烟囱设计除应符合现行国家标准《烟囱设计规范》GB 50051的有关规定外,还应符合下列规定:

1 烟囱宜采用钢筋混凝土单筒结构;

2 烟囱内衬应全高设置,隔烟墙高度不宜超过烟囱第一节,且不宜高于15m,不能满足要求时应对隔烟墙稳定及烟囱筒壁温度应力进行特殊设计;

3 当采用地下烟道时,烟囱埋入地下部分应在筒壁处设置内外连通的通风散热构造措施;

4 烟气进行脱硫处理时,烟囱内衬、分隔墙应采用耐酸砖和耐酸砂浆砌筑,烟囱底部应做防腐处理,并应设置将脱硫后排出酸液的收集设施;

5 当熔化工段底层采用地下室方案时,竖直烟道与厂房结构之间应做隔热、隔胀防护。

9.7.3 生产废水处理站、水塔的设计应符合现行国家标准《给水排水工程构筑物结构设计规范》GB 50069 的有关规定。

9.7.4 钢筋混凝土筒仓设计应符合现行国家标准《钢筋混凝土筒仓设计规范》GB 50077 的有关规定。抗震设防烈度为 8 度及以上时,柱承式筒仓不宜采用单跨框架结构。

9.7.5 单体筒仓宜采用圆形或方形,方形筒仓竖壁宜采用钢筋混凝土结构,圆形筒仓的竖壁及仓顶建筑物宜采用钢结构,下部仓斗宜为有肋钢仓斗。

9.7.6 水池、地坑应设集水坑。

10 公用辅助工程

10.1 给水与排水

10.1.1 光伏压延玻璃工厂的水源应结合生产、生活及消防的要求综合确定,宜采用城镇自来水,并应有两个以上的进口或采用多水源供水。

10.1.2 厂区给排水管网的设计,应供水可靠、管线短捷、便于施工、合理利用现有设施。

10.1.3 厂区排水设计应符合市政管理部门的规划和要求,污水处理设计应符合本规范第12.3节的规定。

10.1.4 生产给水应满足下列要求:

1 生产给水不得间断,并应满足用水设备所需的水量、水质、水压和水温的要求;

2 生产给水水质主要指标应符合表10.1.4的规定;

表10.1.4 生产给水主要水质指标

项 目	指 标
pH值	6.5~8.5
总硬度(以碳酸钙计)	<450mg/l
混浊度	<3.0mg/l
铁	<0.3mg/l
有机物	<25.0mg/l
油	<1.0mg/l

3 生产用水应循环使用,宜首先选择密闭式循环,全厂用水量及联合车间主要用水点的用水量应根据生产规模和工艺设备用水资料计算确定;

4 厂区进口处的水压不应小于 0.25MPa，水压低于 0.25MPa 时，厂内应设计增压设施。

10.1.5 生活用水及采用城镇给水作为生产供水水源的设计应符合现行国家标准《建筑给水排水设计规范》GB 50015 的有关规定。

10.1.6 给水管网设计应符合下列规定：

1 给水干线应根据用水量大、要求供水可靠度高的联合车间等主要用水场所确定，并应成环状管网且在不同方位采用数条进水管供水；

2 给水管线上应设置阀门，当关闭阀门检修局部管线时，主车间不应中断给水；

3 厂区消防给水管的设置应符合现行国家标准《建筑设计防火规范》GB 50016 的有关规定。

10.1.7 循环水系统应符合下列规定：

1 厂区工业循环水冷却设施的类型，应根据生产工艺对循环水水量、水温、水质和供水系统的运行方式等使用要求，并应结合下列因素确定：

　　1)当地的水文、气象、地形和地质等自然条件；

　　2)材料、设备、电能和补给水的供应情况；

　　3)场地布置和施工条件。

2 厂区循环给水系统应满足联合车间、压缩空气站等生产设备的冷却用水。

3 循环给水管宜为枝状管网，并应设专用管道直通用水车间。

4 联合车间的循环给水系统应采用多水源的方案，当正常水源中断时，备用水源或备用进户管应能保障供水。

5 循环水系统的补充水量敞开式可按循环水总量的 4%～5%确定，密闭式可按循环水总量的 2%～3%确定。

6 循环水系统的水质应满足生产设备要求，不能满足生产要求时应进行水处理。

7 循环水系统宜设置全过滤水处理装置,当设置旁滤水处理装置时,旁流过滤水量可按循环水量的3%～5%设计。

8 循环水系统应设置循环水池和水塔,并应符合下列规定:
　　1)循环水池的总容量可按1.0h～2.0h的循环水量计算;
　　2)循环水塔的总容量宜按不小于0.5h的循环水量计算;
　　3)水塔高度应满足使用水压的要求。

9 水泵设置应符合下列规定:
　　1)循环水水泵应有一台相同规格型号的备用泵;
　　2)当两台或两台以上同时工作时,备用泵的容量不应小于最大一台泵的容量;
　　3)备用泵宜设有柴油机水泵。

10 循环水泵房的布置宜靠近主车间,并宜采用地上布置方式。

11 循环水给水送至主要车间进口处的水压宜为0.35MPa～0.55MPa。

10.1.8 排水管网应满足当地有关部门对工厂排放水质、排出口位置的要求。

10.1.9 光伏压延玻璃工厂的生产废水、生活污水与雨水的排水系统应以批准的当地城镇或地区总体规划和排水工程总体规划为主要依据,并宜采用分流制。当采用合流制时,应得到当地有关部门的批准。生活粪便污水应经化粪池处理后再排入合流制排水系统。

10.1.10 车间的生产含尘废水及车间与堆场的地坪冲洗水,应在排出口处设置沉砂池。

10.1.11 油罐排水应在防护堤外设置油水分离池(或油水分离装置),并应经除油后汇入厂区排水系统;在进、出油水分离池的排水管道上应设水封井。油罐区雨水管道排水应在防护堤外设置隔断装置及水封井。

10.1.12 化验室化验分析过程排放的废酸、废碱液应采取中和措施,允许排放废液的pH值应为6~9。

10.2 电 气

10.2.1 用电负荷应根据供电可靠性及中断供电在经济上所造成的损失或影响的程度分为三级,用电负荷的分级应符合下列规定:

　　1 中断供电将造成人身伤亡或在经济上造成重大损失的用电负荷应为一级负荷;

　　2 中断供电将在经济上造成较大损失的用电负荷应为二级负荷;

　　3 不属于一级和二级负荷的用电负荷应为三级负荷。

10.2.2 光伏压延玻璃工厂的供电电源不应少于两个,且至少一个应采用专用线路供电。一级负荷应由双重电源供电,当一个电源发生故障时,另一电源不应同时受到损坏。

10.2.3 光伏压延玻璃工厂的供电电源的总供电能力,应满足正常生产用电量需要,并宜留有富余供电能力。

10.2.4 供配电系统设计应符合下列规定:

　　1 应将一、二级负荷分接在不同的电源侧;

　　2 厂内高压配电系统和低压配电系统宜采用放射式;

　　3 应合理补偿无功功率;

　　4 单相负荷宜使配电系统的三相负荷分配平衡;

　　5 配电系统主结线宜采用单母线分段结线形式。

10.2.5 变(配)电所布置应符合下列规定:

　　1 总变(配)电所宜独立设置;

　　2 总变(配)电所宜采用室内单层布置,当采用双层布置时,变压器应设在底层;

　　3 车间变电所宜依附生产车间设置,几个用电区共用的车间变电所可独立设置,位置应接近负荷中心。

10.2.6 总变(配)电所宜设单独的控制室,高压断路器应采用集中操作、监视。控制室宜采用直流操作电源,并宜选用双电源、单电池组的成套硅整流电池屏。

10.2.7 带有一级、二级负荷的车间变电所的供电电源不应少于2个。当仅采用高压供电时,变压器不应少于2台。当有一台变压器故障或有一个电源中断供电时,其余变压器应能保证一、二级负荷的供电。

10.2.8 车间变电所的低压配电设备应采用成套低压配电装置。变压器出线开关、分段母线开关、配电给一、二级负荷的回路开关宜采用低压断路器。

10.2.9 供配电系统的设计应符合现行国家标准《供配电系统设计规范》GB 50052 的有关规定。

10.2.10 变(配)电所内的电力设备布置、导体和电器选择以及土建、通风设计应符合现行国家标准《3～110kV 高压配电装置设计规范》GB 50060 的有关规定。

10.2.11 变(配)电所的继电保护和电气测量设计应符合现行国家标准《电力装置的继电保护和自动装置设计规范》GB/T 50062 和《电力装置的电测量仪表装置设计规范》GB/T 50063 的有关规定。

10.2.12 变(配)电所的过电压保护设计应符合现行国家标准《交流电气装置的过电压保护和绝缘配合设计规范》GB/T 50064 的有关规定。接地安全设计应符合现行国家标准《交流电气装置的接地设计规范》GB/T 50065 的有关规定。

10.2.13 车间电器设备布置应符合下列规定:

1 多尘场所的电器设备,宜设单独的隔尘房间;

2 设在工作现场的电器设备,防护等级应为 IP5X 级,经常用水冲洗的地段应为 IP54 级;

3 储运和处理纯碱和芒硝的场所,电器设备和电气配线应有防尘、防酸、碱腐蚀的措施。

10.2.14 对可能出现爆炸性气体混合物环境,爆炸危险区级的划分、包含范围和电力装置设计应符合现行国家标准《爆炸危险环境电力装置设计规范》GB 50058 的有关规定。

10.2.15 交流电机应采用全压启动方式,当不符合全压启动的条件时宜采用降压启动,也可选用其他适当的启动方式。

10.2.16 车间配电系统设计应符合下列规定:

1 一级负荷应由两路电源供电,且两路电源应能自动切换;二级负荷应由两路电源供电,两路电源宜自动切换,也可手动切换;

2 电源自动切换装置宜采用抽出式主开关;

3 低压用电设备宜通过电力配电箱配电,配电给不同等级负荷的配电箱宜分别设置;装机容量大的用电设备宜直接由车间变电所的低压侧放射式配电;

4 原料制备输送系统、碎玻璃处理输送系统等应采用机组联锁控制方式,并应能转换到解锁方式下运行;

5 低压配线线路多的场所宜采用电缆桥架配线或电缆沟内敷设;

6 低压配电设备及配电线路的设计应符合现行国家标准《低压配电设计规范》GB 50054 的有关规定;

7 通用用电设备配电设计应符合现行国家标准《通用用电设备配电设计规范》GB 50055 的有关规定。

10.2.17 厂区电力线路敷设应符合下列规定:

1 厂区放射式配电线路宜采用电缆直接埋地或电缆沟内敷设;

2 厂区电力线路的走向、路径应协同总图布置统一规划;

3 厂区电力线路设计应符合现行国家标准《电力工程电缆设计规范》GB 50217 的有关规定;

4 变电所进线电缆沟沟底宜高于室外电缆沟沟底 300mm 以上,并宜呈内高外低坡状。

10.2.18 车间内低压电动机的保护应符合下列规定:

1 交流电动机应装设短路保护、接地故障保护,并应根据电动机的用途分别装设过载保护、断相保护、低电压保护；

2 直流电动机应装设短路保护，并应根据需要装设过载保护、失磁保护、超速保护；

3 同步电动机应装设失步保护。

10.2.19 电气照明设计应符合下列规定：

1 电气照明应根据场所及环境条件、用途、最低照度要求等因素，分别采用荧光灯、高强气体放电灯和发光二极管（LED）作光源；

2 切裁工段宜采用分区照明方式；

3 有夜班工作的重要操作区、中央控制室、配电室、发电机房、水泵房等和重要通道应设应急照明；

4 有爆炸和火灾危险的场所，灯具、开关和照明配线应按环境的危险级别进行选型和设计；

5 潮湿场所应选用防潮或带防水灯头的灯具，照明线路应暗配，开关应置于潮湿环境以外；

6 照明供电应根据使用要求、工作环境的安全条件，分别采用220V、36V、24V、12V的电压；

7 采用高强气体放电灯作光源的照明，开关和导线应将功率因数低、起动电流大和起动时间长的影响作为选型因素之一；

8 工厂照明设计应符合现行国家标准《建筑照明设计标准》GB 50034的有关规定。

10.2.20 厂区建筑防雷设计应符合下列规定：

1 天然气配气站应按第二类防雷建筑物设置防雷设施；

2 年预计雷击次数小于或等于0.25次的联合车间、烟囱、水塔、原料车间等一般性工业厂房，应按第三类防雷建筑物设置防雷设施；

3 油站宜按第二类防雷建筑物设置防雷设施，钢质油罐的壁厚不小于4mm时，油罐可不装设专门的接闪器，但应接地，且接地点不应少于两处，冲击接地电阻不应大于10Ω；

4 年预计雷击次数大于 0.25 次的生产加工联合车间等一般性工业厂房,应按第二类防雷建筑物设置防雷设施;

5 厂区建筑物防雷设计应符合现行国家标准《建筑物防雷设计规范》GB 50057 的有关规定。

10.2.21 厂内应设相应的办公通信系统。

10.3 供热与供气

10.3.1 光伏压延玻璃工厂的生产工艺及生活需要冷、热源时,应优先利用玻璃熔窑烟气余热。

10.3.2 当玻璃熔窑烟气余热产生的蒸汽不能满足全厂生产和生活的需要时,可使用区域供热,也可采用燃气、燃油补充供热。

10.3.3 余热利用系统的热工计算参数应根据玻璃熔窑及烟道的热工条件确定。进入余热锅炉的烟气过剩空气系数可根据熔窑使用的燃料种类等因素选取。

10.3.4 余热锅炉与引风机的选型应符合下列规定:

1 熔窑烟气可全部或部分通过余热锅炉,当熔窑烟囱高度受条件限制,熔窑烟气又需全部通过时,应设有保证熔窑抽力的备用余热锅炉和引风机;

2 余热锅炉宜选用烟管式或热管式,当采用烟管式时,应配置蒸汽吹扫设备;

3 引风机选型时,风量应有 10% 的富余量,风压应有 20% 的富余量;

4 引风机宜采用变频技术来调节风量和风压。

10.3.5 余热锅炉房的设计应符合下列规定:

1 余热锅炉房可采用单层或双层布置,出入口不应少于 2 个。

2 引风机应布置在一层。

3 余热锅炉与引风机宜一炉一机配置。

4 减少烟道系统热损失的措施应符合下列规定:

1）余热锅炉进口前的烟道宜布置在地下,并应有防止地下水进入烟道内的措施;
　　2）余热锅炉进口前的烟道应加保温层,整个烟道应加强密封;
　　3）炉前烟道闸板宜选用气密性好的闸板。

　5　当烟气为部分通过余热锅炉时,应在烟囱内设置隔墙,隔墙高度应能满足分隔高温烟气与低温烟气的要求。

　6　数台引风机出口处共用一个烟道时,每台引风机出口应安装关断闸板。

　7　余热锅炉进出口烟道上应设清灰门,引风机进口处宜设进风箱。

10.3.6　余热锅炉房内的压力管道设计应符合现行国家标准《工业金属管道设计规范》GB 50316、《压力管道规范 工业管道》GB/T 20801 的有关规定。

10.3.7　燃气及燃油锅炉房设计应符合现行国家标准《锅炉房设计规范》GB 50041 的有关规定。

10.3.8　压缩空气站设计应符合下列规定:

　1　压缩空气站设计应满足生产工艺用气要求,并应符合现行国家标准《压缩空气站设计规范》GB 50029 的有关规定;

　2　压缩空气站应靠近用气负荷中心,站房可集中或分散设置,压缩空气站可为独立厂房或布置在联合车间辅房内;

　3　空气压缩机选型时应按当地海拔高度、温度、湿度进行参数修正,最大单台机组检修时,其他运行与备用的机组总容量应能保证全厂生产用气的要求;

　4　空气压缩机的选型、台数及布置,应根据生产线压缩空气用量、压力要求,输送距离以及气路系统损耗,经技术经济比较后确定,空气压缩机的型号不宜超过两种;

　5　压缩空气站内及厂区的压力管道设计应符合现行国家标准《工业金属管道设计规范》GB 50316、《压力管道规范　工业管道》GB/T 20801 的有关规定；

6 空气压缩机宜选用有油螺杆空气压缩机；

7 压缩空气净化设备应选用不少于两套吸附式干燥装置，其中一套应作为备用。装置前、后应设置满足精度要求的压缩空气过滤器。

10.4 采暖、通风、收尘、空气调节

10.4.1 采暖、通风、收尘、空气调节设计方案的选择应根据建厂地区气象条件、总图布置、生产工艺和控制要求、区域能源状况及环境保护要求，通过技术经济比较确定。

10.4.2 采暖、通风、收尘、空气调节的设计应符合现行国家标准《采暖通风与空气调节设计规范》GB 50019、《平板玻璃工业大气污染物排放标准》GB 26453 的有关规定。生产管理及生活建筑的采暖、通风与空气调节的设计应符合现行国家标准《民用建筑供暖通风与空气调节设计规范》GB 50736、《公共建筑节能设计标准》GB 50189 及各地方节能设计标准的有关规定。

10.4.3 通风、收尘和空气调节的设计应符合现行国家标准《建筑设计防火规范》GB 50016 的有关规定。

10.4.4 高温生产及含易燃易爆气体的作业区，应采取节能的通风、降温措施。

10.4.5 光伏压延玻璃工厂的粉尘散发源，应采用综合防尘措施。

10.4.6 采暖热媒的选择应符合下列规定：

1 车间宜采用供水温度不低于 80℃ 的热水或 0.2MPa 高压蒸汽做热媒；

2 生产管理及生活建筑应采用热水做热媒，且供水温度不宜高于 85℃、供回水温差不宜低于 20℃；

3 远离厂区热力网的小面积单体建筑物，在满足安全的前提下可用电能。

10.4.7 采暖方式的选择应符合下列规定：

1 对需要采暖的生产厂房、生产管理及生活建筑及可能受冻损伤的建(构)筑物,均宜设置集中采暖,生产厂房工作地点及辅助用室的室内采暖计算温度应符合本规范附录G的规定;

2 在非采暖地区,根据气候条件和生产工艺要求,可对需提高室温的部位设置局部采暖;

3 各种燃料供配站、燃料库不应采用燃气红外线辐射采暖器、电热采暖器及其他一切明火采暖装置。

10.4.8 散热器的选型应符合下列规定:

1 原料车间等粉尘大或防尘要求高的部位应选用不易积尘或易于清扫的散热器;

2 具有腐蚀性气体或相对湿度较大的房间宜选用铸铁散热器。

10.4.9 通风系统设计应符合下列规定:

1 建筑物应以自然通风为主,当自然通风达不到卫生要求时,应采用机械通风或自然与机械的联合通风;机械通风的部位和要求应符合本规范附录H中表H.0.1的规定;

2 当熔窑局部热修时,应设置风机进行局部降温,出风角度及出风风速应能调节。

10.4.10 收尘系统设计应符合下列规定:

1 生产过程中产生粉尘的设备及物料溜管应密闭,并应满足设置收尘吸风口面积的要求;

2 不能全部密闭的倒料口,应采取湿法防尘或设置半封闭式并辅有吸尘装置的罩、帘等装置;

3 位于粉尘污染区的控制室应密闭,无控制室但有岗位工的染尘生产场所应设密闭防尘的工人值班室;

4 易产生粉尘的生产场所地面应用水冲洗,不允许用水冲洗的纯碱、芒硝供配料系统及熔化工段投料平台等生产场所可采用真空装置吸尘,并应防止二次扬尘;

5 收尘器应布置在收尘系统的负压段;

6 设于连续生产线上的收尘系统应与相关的工艺设备联锁。生产线启动时应先启动收尘系统,停机时应最后关闭收尘系统。

10.4.11 收尘系统的选择宜符合下列规定:

1 同一生产流程、同时工作的扬尘点宜设置集中式机械收尘系统,其他分散的扬尘点宜设置分散式机械收尘系统;

2 粉尘种类不同的扬尘点宜分别设置机械收尘系统,当工艺允许不同粉尘混合回收或粉尘无回收价值时,可合并设置机械收尘系统;

3 机械收尘系统宜选用袋式或滤筒式收尘器,当粉尘浓度较高时,宜选用旋风收尘器为一级收尘、袋式或滤筒式收尘器为二级收尘。

10.4.12 收尘管道设计应符合下列规定:

1 收尘管道宜垂直或倾斜敷设;

2 较小倾斜度或水平敷设时,应在风道的端部、侧面或异形管件附近装设风管清扫孔;

3 收尘管道中,应减少弯管、三通管、变径管等部件的使用;

4 收尘管道上应在便于操作及观察的部位设置调节阀和风量测定孔;

5 收尘系统的排风管出口应高出屋面 1.5m 以上。

10.4.13 收尘器回收粉尘的处理应符合下列规定:

1 当收集的粉尘允许纳入到工艺流程中,应将粉尘直接回收到工艺流程中,并应采取防止二次扬尘的措施;

2 当收集的粉尘不允许直接纳入到工艺流程中或纳入有困难时,应设储灰斗及相应的搬运设备;

3 在碎玻璃堆场等可能产生无组织粉尘的场地应配备雾化降尘装置。

10.4.14 空气调节系统设计应符合下列规定:

1 应根据建筑物用途、规模、使用特点、室外气象条件、负荷变化情况和参数要求等因素设置空气调节系统;

2 光伏压延玻璃工厂原料车间、联合车间及辅助生产设施的控制室、变(配)电室宜设置空气调节系统，室温宜为 26℃±2℃，相对湿度宜为 50%～80%，同时还应满足特殊仪表设备对空气调节及使用环境的特殊要求。

10.5 其他生产设施

10.5.1 中心化验室的设置应符合下列规定：

1 中心化验室的设施应根据生产规模、质量检测的需要及各生产车间在生产线上已有的检测装备确定；

2 中心化验室应设化学分析室、物理检测室、试样加工室、药品与仪器储藏室；

3 中心化验室应能对全厂的原料、燃料、配合料和玻璃成品等做物理检测与化学分析；

4 中心化验室的仪器、仪表应根据检测项目、检测方法、检测精度要求而确定。

10.5.2 设置维修车间时，维修车间的修理能力配置应符合下列规定：

1 维修车间的规模与装备水平应根据企业生产规模、生产线设备种类和外部协作条件等因素确定，并应能承担全厂机电设备的中小修理及全厂仪器、仪表的小修理与维护工作；

2 维修车间的机修工段由机、钳、铆、焊等工序组成时，机修工段应设置备品备件库和乙炔气瓶库、氧气瓶库；

3 维修车间宜设办公室和更衣室等辅助设施；

4 维修车间外应设有一定面积的露天作业场所和物料堆场。

10.5.3 维修车间电气设备修理的范围应包括设备电气、输配电线路、照明线路、动力线路等。

11 生产过程检测和控制

11.1 自动化水平的确定

11.1.1 生产过程自动化控制的设计应符合下列规定：

1 自控设计应采用先进的自动化技术，经济合理、满足生产工艺要求；

2 自控设计应正确处理近期建设和远期发展的关系；

3 自控设计应采用成熟的控制技术和可靠性高、性能良好的设备；

4 生产过程自动化设计应包括参数检测、报警、参数与动力设备状态显示、自动调节与控制、工况自动转换、设备联锁与自动保护和中央监控与管理等。

11.1.2 主要生产过程自动化控制应符合下列规定：

1 热端应采用分布式计算机控制系统(DCS)或相同技术配置的可编程控制系统(PLC)；DCS和PLC应具备开放性和可扩展性、易操作性和易维护性、完整性和成套性；

2 热端主控制系统中的主控制器、通信网络、系统电源宜采用冗余配置；

3 冷端宜采用可编程控制系统(PLC)；

4 对重要参数的控制宜设置后备手操控制器。

11.1.3 检测元件、执行机构等应选用与主控制装置相同可靠性及技术水平的产品。

11.2 配料称量系统

11.2.1 配料称量系统的检测和控制应符合下列规定：

1 配料称量系统控制装置，宜采用由多台配料控制器和可编程控制系统作为下位机、工业控制机作为上位机；

2 控制系统宜设手动控制和自动控制的切换装置；

3 配料混合系统中的各种工艺设备应设有运行监视及故障报警装置；

4 宜设置水分自动检测与补偿装置。

11.2.2 配料称量系统的检测和控制宜与原料输送控制系统联网通讯。

11.3 熔 化 系 统

11.3.1 熔窑温度、压力及玻璃液面的检测和控制,应符合下列规定：

1 在熔窑的碹顶、胸墙、蓄热室、池底、横通路、支通路和烟道的有关部位应设温度检测点,重要检测点的温度应有记录及高限报警；

2 熔化部的窑压应自动控制；

3 总烟道及烟囱根应设有抽力测量；

4 玻璃液面应自动控制。

11.3.2 燃烧系统的检测和控制应符合下列规定：

1 熔窑燃烧系统的检测和控制装置,应符合节能和环保的要求。

2 熔窑燃烧系统宜设有燃料温度、压力自动控制、总燃料流量检测及累积计量。

3 小炉宜设有燃料流量控制。

4 雾化介质宜设有压力控制和流量检测。

5 助燃空气系统的检测与控制应符合下列规定：

　　1）助燃空气总管或分支管应设有压力检测和流量自动控制；

　　2）当设置总管流量自动控制时,各分支管应设有流量检测,并应能手动遥控调整各分支管流量；

3）宜设置燃料流量与助燃空气流量比值的控制系统。
　　6 宜配备检测烟气剩余氧含量、一氧化碳含量的便携式分析仪。

11.3.3 熔窑燃烧换向控制应符合下列规定：
　　1 燃烧换向应设置自动换向装置及人工换向装置；
　　2 换向设备应有状态显示和故障报警装置；
　　3 控制室内宜设置换向主要过程显示。

11.3.4 窑头配合料料仓、投料机等重要部位的运行情况，以及熔窑内燃烧、熔化情况应设有工业电视监视。

11.3.5 熔窑的冷却风机、助燃风机等机电设备均应设运行显示和故障报警。重要设备的冷却水出口温度宜在中央控制室设有显示和超温报警。

11.3.6 窑头料仓宜设料位检测装置。

11.4 成形系统

11.4.1 成形系统的检测和控制应符合下列规定：
　　1 成形系统入口区、活动辊台区有关部位应设温度检测点，并应有记录及高限报警；
　　2 压延成形溢流口，宜设玻璃带表面温度的检测装置；
　　3 中央控制室应设压延机主传动速度给定装置和实际工作线速度显示。

11.4.2 压延机主传动控制方案，应满足调速范围、调速精度及故障自动报警的要求。

11.4.3 压延机的主传动、冷却风机应设事故报警装置。

11.4.4 成形系统宜设工业电视监视。

11.5 退火系统

11.5.1 退火系统的检测和控制应符合下列规定：
　　1 退火窑应设置若干温度控制区。各温控区的加热、冷却应

采用自动控制,各温控区的温度均应显示,并应有记录;

2 在入口及退火窑 B 区中部和边部,宜设玻璃带表面温度的检测装置;

3 在中央控制室应设退火窑主传动速度给定装置和实际工作线速度显示。

11.5.2 退火窑主传动控制方案,应满足调速范围、调速精度及备用传动自动投入等的要求。

11.5.3 退火窑的主传动、冷却风机应设事故报警装置。

11.6 冷端系统

11.6.1 冷端系统的控制应符合下列规定:

1 冷端的主控制系统应能与各子系统间进行通讯;冷端可采用全线自动控制系统,并宜与热端主控制系统联网通讯;

2 切割掰板区和分片堆垛区的单机设备,应设有可单独运行的单机控制装置;

3 切割掰板区应设主控装置,除控制切刀启动、横掰、加速等动作外,还应与输送辊道控制系统通讯;

4 紧急横切落板及主线落板应设就地单机控制和手动控制;

5 输送辊道控制宜采用稳定性高、易控制的调速传动系统;

6 输送及分片控制装置应与切割掰板区主控装置及堆垛设备通讯。

11.6.2 切割机应采用自动控制系统。

11.7 辅助生产系统

11.7.1 辅助生产系统的检测和控制应符合下列规定:

1 辅助生产系统应独立设置检测和控制;

2 辅助生产系统检测和控制可采用数字式仪表。当工艺参数较多时,可采用计算机控制系统。

11.7.2 辅助生产系统检测和控制中的其他相关控制及检测装

置,应根据主生产系统确定。

11.8 仪表用电源和气源

11.8.1 仪表用电源应符合下列规定:
　　1 自动化控制系统应设安全可靠的电源,并应由两回路电源供电,电源的技术参数应满足仪表及控制装置的要求;
　　2 计算机监控装置应设有不间断电源;
　　3 两台及两台以上盘柜拼装时,内部控制用220V交流电源宜采用相同相位。

11.8.2 自动化控制系统的仪表专用气源应采用净化压缩空气。

11.9 控 制 室

11.9.1 控制室的设置应符合下列规定:
　　1 配料系统宜在原料车间单独设置控制室。
　　2 熔窑、压延机、退火窑宜设置中央控制室,中央控制室设计应符合下列规定:
　　　1)中央控制室面向主设备的一方应设大面积观察窗;
　　　2)中央控制室净空高度宜为2.8m～3.5m;
　　　3)中央控制室应铺设防静电活动地板,地板离地面高度宜为250mm～350mm;
　　　4)中央控制室应有防尘、防火、防水、隔声、隔热和通风等设施;
　　　5)中央控制室应避开电磁干扰源、尘源和振动源。
　　3 冷端系统应设置切割掰板区和分片堆垛区控制室。

11.9.2 控制室位置应有利于对设备进行操作、维护、管理;控制室面积应满足设备安装、操作和检修等要求,室内不应有无关的工艺管道通过。

11.9.3 控制室内盘、台前后的工作场地,应满足运行监控人员操作、检修的要求;盘、台不应跨在厂房的变形缝上。

11.9.4 接地装置应符合下列规定：

1 自动化控制系统宜设置独立接地装置，独立接地极应避开厂区电源和防雷接地网；

2 工作接地和屏蔽接地可共用一组接地体，接地电阻应按其中最小值确定，每种接地应设独立接地干线引至接地体。

12 环境保护

12.1 一般规定

12.1.1 光伏压延玻璃工厂环境保护设计应贯彻保护优先、预防为主、防治结合的方针，严格控制环境污染。

12.1.2 光伏压延玻璃工厂排放的各类污染物，必须满足国家和地方的排放要求，并应符合当地的环境容量和排放总量的要求。

12.1.3 光伏压延玻璃工厂环境保护设计应按国家规定的设计程序进行，防治污染设施应与主体工程同时设计、同时施工、同时投入生产和使用。

12.1.4 光伏压延玻璃工厂环境保护设计应根据环境影响评价文件及审批意见，具体落实各项环境保护措施。

12.2 大气污染防治

12.2.1 厂区总图布置时，废气污染危害较大的设施宜远离办公生活区及厂界，并应布置在厂区全年最小频率风向的上风侧。

12.2.2 厂址应选择在大气扩散稀释能力较强、大气污染物本底浓度低的地区，且自然条件应有利于废气、烟气的扩散。在城镇附近建厂时，厂址宜位于城镇污染系数最小方位的上风侧。

12.2.3 新建、异地扩建或改建项目与居住区之间留有的大气环境防护距离，应符合项目环境影响评价文件的要求。

12.2.4 光伏压延玻璃工厂熔窑排放大气污染物的防治设计，应符合下列规定：

　　1 熔窑废气污染防治措施应符合批准的《环境影响报告书（表）》的要求；

2 熔窑应设置降低硫氧化物排放量的脱硫设施,提倡使用清洁燃料,在保证玻璃质量的前提下应降低芒硝含率、减少烟气中二氧化硫排放;

3 熔窑应设置降低氮氧化物排放量的脱硝设施,熔窑宜采用低氮氧化物燃烧器、纯氧燃烧、分层燃烧等措施;

4 熔窑烟囱的高度除应满足窑炉工艺要求外,还应根据环境影响评价结果确定。

12.3 废水污染防治

12.3.1 废水污染防治设计应贯彻清污分流、分质处理、节约用水、一水多用、中水回用的原则,采用清污分流排水系统,生产废水、生活污水不应与雨水合流排放;生产废水和生活污水的管网宜分开布置。

12.3.2 污水排放水质应符合现行国家标准《污水综合排放标准》GB 8978 的有关规定;排入自然水体的排放口位置应经过有管辖权的水行政主管部门或者流域管理机构同意。

12.3.3 车间的生产含尘废水及车间与堆场的地坪冲洗水应经沉砂池沉淀处理。

12.3.4 含油污水应采取治理措施,排放水质应符合现行国家标准《污水综合排放标准》GB 8978 的有关规定。

12.3.5 烟气湿法脱硫收尘器产生的废水应循环使用,严寒及寒冷地区还应采用防冻措施。烟气脱硫废水宜采用中和、曝气、絮凝、沉淀处理工艺。

12.4 噪声及振动防治

12.4.1 光伏压延玻璃工厂噪声控制设计应符合现行国家标准《工业企业噪声控制设计规范》GB/T 50087 的有关规定。

12.4.2 厂界噪声排放应符合现行国家标准《工业企业厂界环境噪声排放标准》GB 12348 的有关规定。

12.4.3 设备选型时应优先选用低噪声生产设备，设计中应采用有利于控制噪声传播的布置形式。超过许可标准时，应根据噪声性质，采取消声、建筑隔断、隔声、减振等防治措施。

12.4.4 原料车间、联合车间、压缩空气站等高噪声厂房宜采用密封隔声围护结构，且厂房的门、窗不宜朝向噪声敏感点。

12.4.5 对厂外受声点可在噪声敏感受声侧设置声屏障或其他隔声设施。

12.4.6 风机、空气压缩机等高噪声设备，应在设计中采取噪声防治措施，宜采取壳体噪声隔离和建筑隔离等措施。

12.4.7 对产生较强振动或冲击的设备应进行减振、隔振设计。对隔振要求较高的车间或设备，应远离振动较强的机器设备或其他振动源。

12.4.8 隔振装置及支承结构形式，应根据机器设备的类型、振动强弱、扰动频率等特点以及建筑、环境和操作者对振动噪声的要求等因素确定。

12.5 固体废物污染防治

12.5.1 玻璃工厂固体废物污染防治设计，应执行《中华人民共和国固体废物污染环境防治法》的有关规定。玻璃工厂固体废物应以回收和综合利用为原则，技术上应可靠，经济上应合理。

12.5.2 脱硫废渣在厂内临时储存时，应符合现行国家标准《一般工业固体废物贮存、处置场污染控制标准》GB 18599 的有关规定。

12.5.3 熔窑冷热修时产生的含铬耐火材料在厂内临时储存时，应单独储存在防雨、防晒、防渗的场所。除可综合利用部分外，其余含铬耐火材料应进行专业化处置。

12.5.4 碎玻璃应全部回收使用。

12.5.5 对各收尘系统收集的粉尘应设计收集储存设施。

12.5.6 厂内应设置生活垃圾储存设施。

12.6 环 境 监 测

12.6.1 光伏压延玻璃工厂环境保护工程设计时,应根据生产规模设置监测站(或监测组),并应配备监测仪器。监测站(或监测组)可布置在生产化验楼或生产办公楼内,也可单独布置。监测站(或监测组)的建筑面积宜为$100m^2 \sim 150m^2$,也可依托当地监测部门进行定期监测。

12.6.2 监测采样点应合理布置,烟囱应设置永久采样点、监测孔和采样监测用平台;废水排放口应设置永久性采样点,废水排水应实行计量,废水排放计量装置的位置应结合水质监测取样点确定。污染物的采样口及采样监测应符合国家有关污染源监测技术规范的要求。各排污口应按有关文件的要求进行规范化设计。

13 节 能

13.1 一般规定

13.1.1 光伏压延玻璃工厂设计应提高能源利用效率和经济效益。

13.1.2 光伏压延玻璃工厂项目在申请备案时,应按项目所在地省级人民政府的有关规定进行节能评估和审查。

13.1.3 光伏压延玻璃工厂项目的设计中,应落实节能评估文件及节能审查意见。

13.1.4 光伏压延玻璃生产线在满足生产工艺的条件下,应选用节能技术和节能产品。

13.1.5 光伏压延玻璃工厂生产工艺过程及建筑物需要冷源、热源时,应优先利用本厂余热。

13.1.6 光伏压延玻璃工厂应设置能源管理中心,对全厂的能源输配和消耗环节实施集中动态监控和数字化管理,实现系统性节能降耗、优化能源消费结构及提高能源使用效率。

13.2 总图与建筑节能

13.2.1 总图设计应明确功能分区、方便生产,并应有利于环境保护、节约能源。

13.2.2 管网布局应合理紧凑、线路短捷。

13.2.3 厂区货运出入口宜靠近物流中心、减少运输距离。

13.2.4 在满足生产工艺流程及安全和卫生要求的前提下,宜缩短各车间之间的距离。

13.2.5 建筑朝向应充分利用天然采光、自然通风。

13.2.6 光伏压延玻璃工厂的建筑节能设计应符合国家现行相关

节能标准的规定。

13.3 工艺及设备节能

13.3.1 在满足光伏压延玻璃生产线工艺要求的前提下,工序之间应缩短运输距离。

13.3.2 在综合性价比相同的条件下,应优先选用性能先进、能耗低、可靠耐用的工艺设备。

13.3.3 熔窑节能设计应符合下列规定:

    1 在满足生产工艺、生产规模的前提下,应采用节能型熔窑结构;

    2 熔窑应全保温,并宜选用新型保温材料;

    3 熔窑设计应优化耐火材料的选用及配置;

    4 熔窑助燃风机应采用变频调速;

    5 熔窑用冷却水应循环利用。

13.3.4 压延机节能设计应符合下列规定:

    1 应选用功能先进、能耗低、运行稳定的压延机;

    2 压延机冷却水应循环利用。

13.3.5 退火窑节能设计应符合下列规定:

    1 在满足生产工艺、生产规模的前提下,应合理设计退火窑各区长度、电加热功率及风机参数;

    2 退火窑壳体各面的保温,应选用优质的保温材料,A区外壳表面的温度不应大于80℃;B区外壳表面的温度不应大于70℃;C区外壳表面的温度不应大于60℃;

    3 退火窑风冷却系统的风机宜选用变频调速控制;

    4 退火窑输送辊道的电机宜选用变频调速控制。

13.4 电气及自动化控制节能

13.4.1 电气及自动化控制设计中,应选择节能产品。电气设备的选型应符合下列规定:

1 风机、水泵、空气压缩机等设备宜采用变频调速控制；

2 对要求调速的电机，应采用变频调速控制；

3 容量较大、无调速要求的设备宜采用电机节电器、无功功率就地补偿方式；

4 应合理选择电动机、配电变压器的容量，并应降低线路感抗。

13.4.2 热端检测和控制设计中，控制回路设置、调节方式确定等，应采用节能降耗控制方案。熔化燃烧系统应采用燃料量和助燃风量双交叉限幅调节方式。退火窑风-电控制回路应采用省电控制方案。

13.4.3 照明节能设计应符合下列规定：

1 照明节能设计中，应充分利用自然光，并应采用绿色节能照明；

2 车间、仓库及办公室等处的照明应采用节能型灯具，灯具内应设置电容补偿，功率因数不应低于 0.9；

3 高大厂房内应采用高效节能气体放电灯或大功率节能荧光灯；

4 在保证照明质量的前提下，应优先采用开启式灯具和分区、分组控制措施；

5 厂区路灯照明宜设置自动控制器，条件允许时，可使用太阳能路灯；

6 疏散指示灯、走廊灯等低照度灯具应采用交流发光二极管（LED）光源。

13.4.4 配电系统中的谐波电压和在公共连接点注入的谐波电流允许限值，应符合现行国家标准《电能质量 公用电网谐波》GB/T 14549 的有关规定。应控制各类非线性用电设备所产生的谐波。

13.5 辅助设施节能

13.5.1 光伏压延玻璃工厂的给水与排水节能设计应符合下列

规定：

1 生产供水系统宜采用变频供水；

2 生活给水系统应充分利用市政供水管网的水压直接供水；

3 给水调节水池（或水箱）、消防水池（或水箱）应设溢流信号管和溢流报警装置；

4 设有中水、雨水回用给水系统的建筑，清洗给水调节水池（或水箱）时排出的废水、溢水宜排至中水、雨水调节池回收利用；

5 生产用水应循环利用，重复利用率不应低于90%；

6 污水经处理后宜作为中水回用；

7 厂区内宜设置雨水收集回用设施；

8 雨水和中水等水源可用于景观、绿化浇洒、汽车冲洗、路面冲洗、冲厕、消防等非与人身接触的生活用水；

9 景观用水的水源不得采用城镇自来水和地下水；

10 卫生洁具应符合国家现行标准《节水型产品通用技术条件》GB/T 18870 和《节水型生活用水器具》CJ/T 164 的规定。

13.5.2 光伏压延玻璃工厂的燃料系统节能设计应符合下列规定：

1 重油油罐和重油管道应设置保温层；

2 焦炉煤气的加压机应采用调频调节。

13.5.3 光伏压延玻璃工厂的采暖、通风、收尘、空气调节节能设计应符合下列规定：

1 采暖热源应优先采用熔窑烟气余热作为采暖热源；

2 生产厂房应采用以自然风为主的通风方式；

3 通风风机与收尘风机应选用节能型风机，收尘器宜选用节能型收尘器；

4 直接为生产服务的控制室、电气室等处空调系统宜优先选用分体式空调机组。空调机组应采用节能产品；

5 为员工服务的舒适性空调系统，当采用分散式空调系统时，宜优先选用分体式空调机组，空调机组应采用节能产品；当采用中央空调系统时,经过经济技术比较后可采用生产线余热作为空调冷热源,其他技术要求应符合现行国家标准《民用建筑供暖通风与空气调节设计规范》GB 50736、《公共建筑节能设计标准》GB 50189及当地节能设计的有关规定。

13.5.4 熔窑烟气余热回收应符合下列规定:

  1 大型生产线或生产线集中的企业宜利用熔窑烟气余热资源发电;

  2 规模较小的生产线应将烟气余热回收综合利用;

  3 余热利用装置的引风机、水泵,宜采用变频调速;

  4 余热发电应选用换热效率较高的锅炉;

  5 换热器应选择高效、结构紧凑、便于维护、使用寿命长的产品;

  6 换热器的蒸汽凝结水宜回收利用。

13.5.5 光伏压延玻璃工厂可利用以余热回收产生的蒸汽为热源的溴化锂吸收式冷水机组进行制冷。

13.5.6 能源计量应符合下列规定:

  1 光伏压延玻璃工厂应按现行国家标准《用能单位能源计量器具配备和管理通则》GB 17167的要求配备能源计量器具;

  2 能源计量装置应满足全厂和各个系统单独计量考核的要求,并应具备自动记录和集中、统计功能;

  3 水、电、压缩空气、蒸汽、燃料应做到生产、生活分别计量。

14 职业安全卫生

14.1 一般规定

14.1.1 光伏压延玻璃工厂对生产过程中的各项职业危害因素，应遵循预防、减弱、隔离、联锁、警告、消除的原则，实行安全、文明生产。

14.1.2 危险区应设置警示标志、报警装置和防护措施。

14.1.3 光伏压延玻璃工厂应设职业安全卫生专职机构（或配备专职人员）负责职业安全卫生的管理和监测工作，也可委托当地有关机构负责实施。

14.2 防火与防爆

14.2.1 光伏压延玻璃工厂的火灾危险性类别、耐火等级、防火分区最大允许建筑面积、安全疏散距离及安全出口数目应符合本规范附录 E 的规定。

14.2.2 各生产车间的防火间距、易燃油品（或可燃气体）储罐区及附属设施的布置和防火间距，应符合现行国家标准《建筑设计防火规范》GB 50016 的有关规定。

14.2.3 联合车间的燃气配气室，应紧靠联合车间熔化工段的外墙毗邻布置，并应采取防火及防爆的分隔措施。

14.2.4 光伏压延玻璃工厂应根据燃油、燃气的特性，设定储油罐、储气罐的温度及压力参数，并应设置限位报警及紧急切断（或放空）装置。

14.2.5 燃油、燃气的储罐及输送管道均应有良好的接地，并应符合现行国家标准《液体石油产品静电安全规程》GB 13348 的有关规定。

14.2.6 对可能聚集有爆炸危险性气体的场所应安装可燃气体的监测、报警装置。

14.2.7 光伏压延玻璃工厂电力装置的防爆设计应符合现行国家标准《爆炸危险环境电力装置设计规范》GB 50058 的有关规定。

14.2.8 光伏压延玻璃工厂的事故通风设计应符合下列规定：

　　1 对生产过程中有可能突然散发大量有爆炸危险性气体的场所应设置事故通风装置；

　　2 事故排风的风机吸风口应设在爆炸危险物质可能最大散发量的地点，事故排风的排风口，不应布置在人员经常停留或经常通行的地点；

　　3 事故通风的防爆风机应与爆炸危险性气体的报警装置联动，并应分别在室内及室外便于操作的位置设置防爆风机的开关；

　　4 事故通风的部位和要求应符合本规范附录 H 中表 H.0.2 的规定。

14.2.9 光伏压延玻璃工厂的消防设计，应符合现行国家标准《建筑设计防火规范》GB 50016、《建筑灭火器配置设计规范》GB 50140 的有关规定。

14.2.10 压力容器和压力管道的设计应符合现行国家标准《压力管道规范　工业管道》GB/T 20801、《工业金属管道设计规范》GB 50316、《钢制压力容器》GB 150 的有关规定。

14.3　防电与防雷

14.3.1 光伏压延玻璃工厂内的防雷、接地和电气安全设计应符合本规范第 10.2 节的有关规定。

14.3.2 户外燃气、燃油等可燃介质管道的始端、终端、分支处、转角处以及直线部分每隔 25m 处，均应设置接地装置，各处冲击接地电阻不应大于 10Ω。弯头、阀门、法兰盘等管道的连接点应采用金属线跨接。

14.3.3 可燃介质输送管道防静电设计应符合现行国家标准《防

止静电事故通用导则》GB 12158 的有关规定。

14.3.4 潮湿场所(或移动式)电器设备的供电线路,应在电控柜内装设剩余电流动作保护器。

14.3.5 室外堆场的电路布线应有防晒、防冻、防水、防雷击、防漏电等措施。

14.3.6 触电危险性大的各种配电柜(或电控柜)均应加锁保护。

14.3.7 中央控制室、变(配)电所、切裁堆装部位及车间内主要通道和出入口等处,应设事故应急照明。事故应急照明应能连续工作 45min。

14.3.8 各建筑物均应根据自身特点采取相应的等电位联结。建筑物内各电气系统的接地宜用同一接地网,接地网的接地电阻应符合其中最小值的要求。

14.3.9 在烟道、料仓、地坑等受限空间检修设备时,应采用超低压照明灯具。

14.3.10 用电设备旁边明显位置应设检修用的电源隔离开关或紧急情况时能切断主电源的紧急停车按钮。

14.4 防机械、玻璃伤害

14.4.1 生产设备的设计和安装应符合现行国家标准《机械安全防护装置 固定式和活动式防护装置设计与制造一般要求》GB/T 8196 和《生产设备安全卫生设计总则》GB 5083 的有关规定。

14.4.2 起重机械设置的安全防护装置,应符合现行国家标准《起重机安全规程》GB 6067 的有关规定。

14.4.3 电梯的制造、安装、检验等方面的要求,应符合现行国家标准《电梯制造与安装安全规范》GB 7588 的有关规定。

14.4.4 厂房内通道宽度应按人行、配件的搬运及车辆运行等要求确定。固定设备(或有封闭罩的运行设备)旁的通道净宽不应小于 0.8m;运转机械旁的通道净宽不应小于 1m。

14.4.5 机械设备检修时,应启用阻止机械设备意外自行启动的安全装置。

14.4.6 人工切裁等工作场所收集碎玻璃的仓口,应设置防碎玻璃飞溅的安全护板及防止人员坠落的格网。

14.5 防暑降温及采暖防寒

14.5.1 光伏压延玻璃工厂防暑降温应符合国家对工业企业设计卫生标准的有关规定。

14.5.2 光伏压延玻璃工厂采暖、防寒设计应符合本规范第10.4节的有关规定。

14.6 防噪声、防振动

14.6.1 厂内各类工作场所噪声限值应符合现行国家标准《工业企业噪声控制设计规范》GB/T 50087 的有关规定。

14.6.2 原料混合、泵、风机运行等产生高噪声的生产过程应采用操作机械化、运行自动化的工艺,实现远距离操作。

14.6.3 高噪声生产场所,宜设置控制、监督、值班用的隔声室。高噪声设备宜布置在隔声的设备间内,并应与工人操作区隔开。

14.6.4 强烈振动设备间应采用柔性连接,有强烈振动的管道与建(构)筑物或支架的连接,不应采用刚性连接。

14.6.5 块状物料输送时,应避免与钢溜管、钢料仓、碎玻璃仓口钢板直接撞击,宜采取阻尼和隔声措施。

14.6.6 产生空气动力噪声的设备,在进气口(或排气口)处应设置消声器。

14.7 防尘和其他伤害

14.7.1 光伏压延玻璃工厂各生产操作区空气中生产性粉尘的最高允许浓度,应符合国家对工业企业设计卫生标准及工作场所有害因素职业接触限值的有关规定。

14.7.2 光伏压延玻璃工厂的防尘治理设计,应符合本规范第

10.4节的有关规定。

14.7.3 厂区内所有影响人员安全的地坑、孔洞、平台，均应设置防护栏杆、护板。

14.7.4 高温设备和管道应进行隔热防护处理。

14.7.5 改建和扩建项目中，对拟利用的既有建（构）筑物，应加以安全复核，并应采取相应的安全措施，在满足国家及地方相关规定的前提下方能利用。

14.8 辅助卫生用室

14.8.1 光伏压延玻璃工厂应按生产性质、人员编制以及实际需要和使用方便的原则，设置相应的生产卫生用室、生活用室等。

14.8.2 辅助卫生用室的设置，应符合国家对工业企业设计卫生标准的有关规定。

14.8.3 辅助卫生用室的位置，应避免受有害物质、高温等因素的影响。

附录 A 地下管线与建(构)筑物

表 A 地下管线与建(构)筑物

最小水平净距(m) 名称 规格 名称	给水管(mm) <75	给水管(mm) 75~150	给水管(mm) 200~400	给水管(mm) >400	排水管(沟)(mm) 雨水管(沟) <800	排水管(沟)(mm) 雨水管(沟) 800~1500	排水管(沟)(mm) 雨水管(沟) >1500	排水管(沟)(mm) 生产及生活污水管(沟) <300	排水管(沟)(mm) 生产及生活污水管(沟) 400~600	排水管(沟)(mm) 生产及生活污水管(沟) >600
建(构)筑物基础外缘	1.0	1.0	2.5	3.0	1.5	2.0	2.5	1.5	2.0	2.5
道路	0.8	0.8	1.0	1.0	0.8	1.0	1.0	0.8	0.8	1.0
管架基础外缘	0.8	0.8	1.0	1.0	0.8	1.0	1.2	0.8	1.0	1.2
照明、通信杆柱(中心)	0.5	0.5	0.5	0.5	0.5	0.5	0.5	0.5	0.5	0.5
围墙基础外缘	1.0	1.0	1.0	1.0	1.0	1.0	1.0	1.0	1.0	1.0
排水沟外缘	0.8	0.8	0.8	0.8	0.8	1.0	1.0	0.8	0.8	1.0
高压电力杆柱或铁塔基础外缘	0.8	0.8	0.8	0.8	0.8	0.8	0.8	0.8	0.8	0.8

注：1 表列净距除注明者外，管线均自管壁、沟壁或防护设施的外缘或最外一根
2 最小水平净距为距建(构)筑物外墙面(出地面处)的距离。
3 如受地形限制不能满足要求，采取有效的安全防护措施后，净距可适当缩小于0.5m且距建(构)筑物外墙面不应小于1m，次高压燃气管道距建筑物于9.5mm时，距建(构)筑物外墙面不应小于6.5m；当管壁厚度不小于
4 括号内数据为距大于35kV电杆(塔)的距离。与电杆(塔)基础之间的水平
5 距离由电杆(塔)中心起算。
6 表中所列数值特殊情况下可酌减，但最多可减少一半。
7 通信电缆管道距建(构)筑物基础外缘的净距应为1.2m；电力电缆排管(即
8 表列埋地管道与建(构)筑物基础外缘的间距，均是指埋地管道与建(构)筑按土壤性质计算确定，但不得小于表列数值。
9 当为双柱式管架分别设基础时，在满足本表要求时，可在管架基础之间敷

之间的最小水平净距

之间的最小水平净距

热力沟（管）	燃气管压力 P(MPa)					压缩空气管	电力电缆(kV)	电缆沟	通信电缆
	低压	中压		次高压					
		B	A	B	A				
1.5	0.7注3	1.0注3	1.5注3	5.0注2,注3	13.5注3	1.5	0.6注9	1.5	0.5注9
0.8	0.6	0.6	0.6	1.0	1.0	0.8	0.8注8	0.8	0.8
0.8	0.6	0.8	1.0	1.0	1.0	0.8	0.5	0.8	0.5
0.8	1.0	1.0	1.0	1.0	1.0	1.0	0.5	1.0	0.5
1.0	0.6	0.6	0.6	1.0	1.0	1.0	0.5	1.0	0.5
0.8	0.6	0.6	0.6	1.0	1.0	0.8	1.0注8	1.0	0.8
1.2	1.0(2.0)	1.0(2.0)	1.0(2.0)	1.0(5.0)	1.0(5.0)	1.2	1.0	1.2	0.8

电缆算起；道路为城市型时，自路面边缘算起，为公路型时，自路肩边缘算起。

小，但低压管道不应影响建（构）筑物基础的稳定性，中压管道距建（构）筑物基础不应
外墙不应小于3.0m。其中当次高压A管道采取有效安全防护措施或当管道壁厚不小
11.9mm时，距建（构）筑物外墙面不应小于3.0m。
距离尚应满足现行国家标准《城镇燃气设计规范》GB 50028 的规定。

电力电缆管道）净距要求与电缆沟（管）同。
物的基础在同一标高或其以上时，当埋地管道深度大于建（构）筑物的基础深度时，应

设管线。

附录B 地下管线之间的

表B 地下管线之间的

最小水平净距(m) \\ 管线名称 规格	管线名称 规格		给水管(mm)				排水管(沟)(mm)					
							雨水管(沟)			生产与生活污水管(沟)		
			<75	75~150	200~400	>400	<800	800~1500	>1500	<300	400~600	>600
给水管 (mm)	<75		—	—	—	—	0.7	0.8	1.0	0.7	0.8	1.0
	75~150		—	—	—	—	0.8	1.0	1.2	0.8	1.0	1.2
	200~400		—	—	—	—	1.0	1.2	1.5	1.0	1.2	1.5
	>400		—	—	—	—	1.0	1.2	1.5	1.2	1.5	2.0
排水管(沟)(mm)	雨水管(沟)	<800	0.7	0.8	1.0	1.0	—	—	—	—	—	—
		800~1500	0.8	1.0	1.2	1.2	—	—	—	—	—	—
		>1500	1.0	1.2	1.5	1.5	—	—	—	—	—	—
	生产与生活污水管(沟)	<300	0.7	0.8	1.0	1.2	—	—	—	—	—	—
		400~600	0.8	1.0	1.2	1.5	—	—	—	—	—	—
		>600	1.0	1.2	1.5	2.0	—	—	—	—	—	—
热力沟(管)			0.8	1.0	1.2	1.5	1.0	1.2	1.5	1.0	1.2	1.5
燃气管	低压		0.5	0.5	0.5	0.5	1.0	1.0	1.0	1.0	1.0	1.0
	中压	B	0.5	0.5	0.5	0.5	1.2	1.2	1.2	1.2	1.2	1.2
		A	0.5	0.5	0.5	0.5	1.2	1.2	1.2	1.2	1.2	1.2

最小水平净距

最小水平净距

热力沟（管）	燃气管					压缩空气管	电力电缆(kV)			电缆沟（管）	通信电缆	
^	低压	中压		高压		^	<1	1~10	<35	^	直埋电缆	电缆管道
^	^	B	A	B	A	^	^	^	^	^	^	^
0.8	0.5	0.5	0.5	1.0	1.5	0.8	0.6	0.8	1.0	0.8	0.5	0.5
1.0	0.5	0.5	0.5	1.0	1.5	1.0	0.6	0.8	1.0	1.0	0.5	0.5
1.2	0.5	0.5	0.5	1.0	1.5	1.2	0.8	1.0	1.0	1.2	1.0	1.0
1.5	0.5	0.5	0.5	1.0	1.5	1.5	0.8	1.0	1.0	1.5	1.2	1.2
1.0	1.0	1.2	1.2	1.5	2.0	0.8	0.6	0.8	1.0	1.0	0.8	0.8
1.2	1.0	1.2	1.2	1.5	2.0	1.0	0.8	1.0	1.0	1.2	1.0	1.0
1.5	1.0	1.2	1.2	1.5	2.0	1.2	1.0	1.0	1.0	1.5	1.0	1.0
1.0	1.0	1.2	1.2	1.5	2.0	0.8	0.6	0.8	1.0	1.0	0.8	0.8
1.2	1.0	1.2	1.2	1.5	2.0	1.0	0.8	1.0	1.0	1.2	1.0	1.0
1.5	1.0	1.2	1.2	1.5	2.0	1.2	1.0	1.0	1.0	1.5	1.0	1.0
—	1.0(1.0)	1.0(1.5)	1.0(1.5)	1.5(2.0)	2.0(4.0)	1.0	1.0	1.0	1.0	2.0	0.8	0.6
1.0(1.0)	—	—	—	—	—	1.0	0.8	1.0	1.0	1.0	0.5	1.0
1.0(1.5)	—	—	—	—	—	1.0	0.8	1.0	1.0	1.0	0.5	1.0
1.0(1.5)	—	—	—	—	—	1.0	0.8	1.0	1.0	1.0	0.5	1.0

77

续表

最小水平净距(m) \ 管线名称规格	管线名称 规格		给水管(mm)			排水管(沟)(mm)					
						雨水管(沟)			生产与生活污水管(沟)		
			<75	75~150	200~400	>400	<800	800~1500	>1500	<300	400~600	>600
燃气管	高压	B	1.0	1.0	1.0	1.0	1.5	1.5	1.5	1.5	1.5	1.5
		A	1.5	1.5	1.5	1.5	2.0	2.0	2.0	2.0	2.0	2.0
压缩空气管			0.8	1.0	1.2	1.5	0.8	1.0	1.2	0.8	1.0	1.2
电力电缆(kV)	<1		0.6	0.8	0.8	0.8	0.8	1.0	1.0	0.8	0.8	1.0
	1~10		1.0	1.0	1.0	1.0	1.0	1.0	1.0	1.0	1.0	1.0
	<35		1.0	1.0	1.0	1.0	1.0	1.0	1.0	1.0	1.0	1.0
电缆沟(管)			0.8	1.0	1.2	1.5	1.0	1.2	1.5	1.0	1.2	1.5
通信电缆	直埋电缆		0.5	0.5	1.0	1.2	0.8	1.0	1.0	0.8	1.0	1.0
	电缆管道		0.5	0.5	1.0	1.2	0.8	1.0	1.0	0.8	1.0	1.0

注：1 表列净距均自管壁、沟壁或防护设施的外缘或最外一根电缆算起。
2 当热力沟(管)与电力电缆净距不能满足本表规定时,应采取隔热措施,特
3 局部地段电力电缆穿管保护或加隔板后与给水管、排水管(沟)、压缩空气
4 表列数据系按给水管在污水管(沟)上方制定的。生活饮用水给水管与污
的净距可减少20%,和通信电缆、电力电缆之间的净距可减少20%,但不得
5 当给水管与排水管(沟)共同埋设的土壤为沙土类,且给水管的材质为非金
6 仅供采暖用的热力沟(管)与电力电缆、通信电缆及电缆沟之间的净距可减
7 110kV级的电力电缆与本表中各类管线的净距,可按35kV数据增加50%。电
8 括号内数据为距管沟外壁的净距离。
9 管径系指公称直径。表中"—"表示净距未做规定,可根据具体情况确定。

B

热力沟（管）	燃气管					压缩空气管	电力电缆(kV)			电缆沟（管）	通信电缆	
	低压	中压 B	中压 A	高压 B	高压 A		<1	1~10	<35		直埋电缆	电缆管道
1.5 (2.0)	—	—	—	—	—	1.2	1.0	1.0	1.0	1.0	1.2	1.0
2.0 (4.0)	—	—	—	—	—	1.5	1.5	1.5	1.5	1.5	1.5	1.5
1.0	1.0	1.0	1.0	1.2	1.5	—	0.8	0.8	1.0	1.0	0.8	1.0
1.0	1.0	1.0	1.0	1.0	1.5	0.8	—	—	—	0.5	0.5	0.5
1.0	1.0	1.0	1.0	1.0	1.5	1.0				0.5	0.5	0.5
2.0	1.0	1.0	1.0	1.0	1.5	1.0	0.5	0.5	0.5	—	0.5	0.5
0.8	0.5	0.5	0.5	1.0	1.5	0.8	0.5	0.5	0.5	0.5	—	—
0.6	1.0	1.0	1.0	1.0	1.5	0.5	0.5	0.5	0.5	0.5	—	—

殊情况下可酌减且最多至一半。

管道的净距可减少到 0.5m，与穿管通信电缆的净距可减少到 0.1m。

水管（沟）之间的净距应按本表数据增加 50%；生产废水管与雨水管（沟）和给水管之间小于 0.5m。

属或非合成塑料时，给水管与排水管（沟）的净距不应小于 1.5m。

少 20%，但不得小于 0.5m。

力电缆排管（即电力电缆管道）净距要求与电缆沟（管）同。

附录C 地下管线之间的最小垂直净距

表C 地下管线之间的最小垂直净距

最小垂直净距(m) 管线名称	给水管	排水管(沟)	热力沟(管)	地下燃气管线	电力电缆	电缆沟(管)	通信电缆 直埋电缆	通信电缆 电缆管道
给水管	0.15	0.40	0.15	0.15	0.50	0.15	0.50	0.15
排水管(沟)	0.40	0.15	0.15	0.15	0.50	0.25	0.50	0.15
热力沟(管)	0.15	0.15	—	0.15	0.50	0.25	0.50	0.25
地下燃气管线	0.15	0.15	0.15	—	0.50	0.25	0.50	0.15
电力电缆	0.15	0.50	0.50	0.50	0.50	0.50	0.50	0.50
电缆沟(管)	0.15	0.25	0.25	0.25	0.25	0.25	0.25	0.25
通信电缆 直埋电缆	0.50	0.50	0.50	0.50	0.50	0.25	0.25	0.25
通信电缆 电缆管道	0.15	0.15	0.25	0.15	0.50	0.25	0.25	0.25

注：1 表中管道、电缆和电缆沟最小垂直净距，系指下面管道或管沟的外顶与上面管道的管底或管沟基础底之间的净距。

  2 当电力电缆采用隔板分隔时电力电缆之间及其到其他管线(沟)的距离可为0.25m。

附录 D 胶带输送机通廊净空尺寸

D.0.1 一条胶带输送机的通廊净空尺寸(图 D.0.1)应符合表 D.0.1 的规定。

表 D.0.1 一条胶带输送机的通廊净空尺寸(mm)

距 离	带 宽					
	500	650	800	1000	1200	1400
A	2700	2800	3000	3300	3500	3700
d	1250	1300	1400	1550	1650	1750
d_1	1450	1500	1600	1750	1850	1950

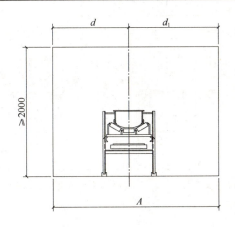

图 D.0.1 一条胶带输送机的通廊净空尺寸示意图
A—通廊总净空；d—胶带输送机中心至走廊副操作面外缘距离；
d_1—胶带输送机中心至走廊主操作面外缘距离

D.0.2 两条胶带输送机的通廊净空尺寸(图 D.0.2)应符合表 D. 0.2 的规定。

表 D.0.2 两条胶带输送机的通廊净空尺寸(mm)

带 宽	距 离			
	A	d	d_1	d_2
500+500	4400	1900	1250	1250
650+650	4700	2100	1300	1300
800+800	5100	2300	1400	1400
1000+1000	5600	2500	1550	1550
1200+1200	6100	2800	1650	1650
1400+1400	6500	3000	1750	1750

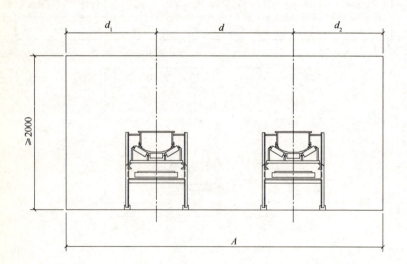

图 D.0.2 两条胶带输送机的通廊净空尺寸示意图
A—通廊总净空;d—两条胶带输送机中心距;
d_1,d_2—两条胶带输送机中心至走廊外缘距离

D.0.3 单侧检修胶带输送机通廊净空尺寸应符合表 D.0.3 的规定。

表 D.0.3 单侧检修胶带输送机通廊净空尺寸(mm)

距离	带宽					
	500	650	800	1000	1200	1400
A	2150	2300	2600	2850	3000	3200
d	1450	1500	1600	1750	1850	1950

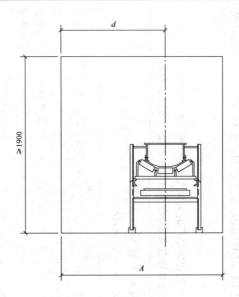

图 D.0.3 单侧检修胶带输送机通廊净空尺寸示意图
A—通廊总净空；d—胶带输送机中心至走廊主操作面外缘距离

附录 E 光伏压延玻璃工厂的火灾危险性类别、耐火等级、防火分区最大允许建筑面积、安全疏散距离及安全出口数目

表 E 光伏压延玻璃工厂的火灾危险性类别、耐火等级、防火分区最大允许建筑面积、安全疏散距离及安全出口数目

车间名称		生产(储存物品)的火灾危险性类别	耐火等级下限	防火分区最大允许占地面积(m²)	安全疏散距离(m)	安全出口数目
原料车间		戊	二级	单层、多层不限；高层 6000	单层、多层不限；高层 75	不少于 2 个（每层建筑面积不超过 400m²，且同一时间的生产人数不超过 30 人时，可设 1 个）
联合车间	熔化工段	丁	二级	单层、多层不限	单层、多层不限	
	成形退火工段					
	切裁工段	戊	二级	单层、多层不限	单层、多层不限	
	成品工段					
造箱车间		丙	二级	单层 8000、多层 4000	单层 80、多层 60	不少于 2 个（每层建筑面积不超过 250m²，且同一时间的生产人数不超过 20 人时，可设 1 个）

续表 E

车间名称	生产(储存物)的火灾危险性类别	耐火等级下限	防火分区最大允许占地面积(m²)	安全疏散距离(m)	安全出口数目
水泵房	戊	二级	单层、多层不限	单层、多层不限	不少于2个(每层建筑面积不超过400m²,且同一时间的生产人数不超过30人时,可设1个)
锅炉房	丁	二级	单层、多层不限	单层、多层不限	不少于2个(每层建筑面积不超过400m²,且同一时间的生产人数不超过30人时,可设1个)
油泵房	丙	二级	单层8000;多层4000	单层80;多层60	不少于2个(每层建筑面积不超过250m²,且同一时间的生产人数不超过20人时,可设1个)
卸油设施储罐区	丙	二级	—	—	设防护堤台阶两处
天然气站	甲	一级	单层4000;多层3000	单层30;多层25	不少于2个(每层建筑面积不超过100m²,且同一时间的生产人数不超过5人时,可设1个)
液化石油气供配站	甲	二级	单层3000;多层2000	单层30;多层25	不少于2个(每层建筑面积不超过100m²,且同一时间的生产人数不超过5人时,可设1个)
焦炉煤气站	甲	二级	单层3000;多层2000	单层30;多层25	不少于2个(每层建筑面积不超过100m²,且同一时间的生产人数不超过5人时,可设1个)

续表 E

车间名称	生产(储存物品)的火灾危险性类别	耐火等级下限	防火分区最大允许占地面积(m²)	安全疏散距离(m)	安全出口数目
压缩空气站	丁	二级	单层、多层不限	单层、多层不限	不少于2个(每层建筑面积不超过400m²,且同一时间的生产人数不超过30人时,可设1个)
维修车间	戊	二级	单层、多层不限	单层、多层不限	
木材库	丙2项	二级	单层1500(每座库房6000)	—	不少于2个(当防火分区的建筑面积不超过100m²时,可设1个)
耐火材料加工	戊	二级	单层、多层不限	单层、多层不限	不少于2个(每层建筑面积不超过400m²,且同一时间的生产人数不超过30人时,可设1个)
原料储库	戊	二级	单层不限	—	不少于2个(每层建筑面积不超过400m²,且同一时间的生产人数不超过30人时,可设1个)
耐火材料库					
成品库					
变(配)电所	丙	二级	单层8000;多层4000	单层80,多层60	不少于2个(每层建筑面积不超过250m²,且同一时间的生产人数不超过20人时,可设1个)

附录F 光伏压延玻璃工厂主要车间楼面、地面荷载标准值

F.0.1 原料车间楼面均布活荷载标准值应符合表F.0.1的规定。

表F.0.1 原料车间楼面均布活荷载标准值

工作部位	均布活荷载(kPa)	备 注
粉料库库顶楼面	3.0	设备荷载另计
称量楼面	4.0	设备及动力荷载另计
混合机楼面	6.0	设备及动力荷载另计

F.0.2 联合车间楼面均布活荷载标准值应符合表F.0.2的规定。

表F.0.2 联合车间楼面均布活荷载标准值

工作部位	均布活荷载(kPa)	备 注
熔窑周围操作楼面	20.0	设备及荷载另计
投料平台	6.0	窑头料仓及胶带输送机荷载另计
窑底平台	4.0	—
压延机、冷端两侧操作楼面	20.0	设备及荷载另计
退火窑两侧操作楼面	10.0	设备及荷载另计
成品工段二层楼面	20.0	不走叉车
成品工段二层楼面	30.0	走叉车
胶带机输送走廊	2.0	—

F.0.3 其他楼面均布活荷载标准值应符合下列规定：

1 车间内无特殊堆料地面时应按10.0kPa计;车间有堆料

地面时应按堆料重量计且不应小于 10.0kPa；

   2 地坑盖板荷载一般情况下可按 20.0kPa 计,设备及动力荷载应另计；

   3 楼面、地面有叉车或其他车辆输送物料时,应按车辆的实际荷重计算；

   4 楼面集中荷载需换算成均布荷载时应按现行国家标准《建筑结构荷载规范》GB 50009 确定；

   5 当生产工艺要求的荷载超出本附录提供的荷载标准值时,应按工艺要求确定；

   6 对于本附录未涉及厂房的一般荷载计算,应符合现行国家标准《建筑结构荷载规范》GB 50009 的有关规定。

F.0.4 设计楼面主梁、墙、柱及基础时,当楼面荷载大于或等于 10.0kPa,作用在主梁、墙、柱及基础上的荷载面积超过 $10m^2$ 时,楼面活荷载标准值的折减系数宜取 0.75。

附录G 光伏压延玻璃工厂采暖计算温度

G.0.1 生产厂房工作地点的采暖计算温度应符合表G.0.1的规定。

表G.0.1 生产厂房工作地点的采暖计算温度

车间及工作地点名称	温度(℃)	车间及工作地点名称	温度(℃)
原料车间		总变电所	
控制室	18~20	主控制室	18~20
受料间(粉料)	12	低压配电室	16
称量间	12	高压配电室	5
筛分间	12	整流器室	16
粉仓顶	5	柴油发电机室	14
混合机房	12	柴油发电机的储油间	5
混合料胶带输送机廊	12	水泵房	
配合料胶带输送机廊	5~10	水泵间	10
均化库		天然气配气站	
均化库	5~10	配气站	10
联合车间		液化石油气供配站	
退火操作层	12	泵房	10
切裁操作层	12	风机房	10
余热锅炉房		压缩空气站	
锅炉间	12	机器间	16
风机间	5	维修车间	
水处理间	15	机工间	18

续表 G.0.1

车间及工作地点名称	温度(℃)	车间及工作地点名称	温度(℃)
钳工间	18	计算机室	18
锻工间	16	化学分析室	18
管工间	16	加热室	16
铆焊间	12	密度计室	18
起重工间	16	光度计室	18
电器维修间	16	天平室	18
仪表维修间	16	药品库	5
工具间	16	汽车库	
化验站、环保监测站		停车库	5
物理检测室	18	保养、修理间	16
油气分析室	18	地磅房	
岩相分析室	18	地磅房	18

G.0.2 辅助用室的采暖计算温度应符合表 G.0.2 的规定。

表 G.0.2 辅助用室的采暖计算温度

车间及工作地点名称	温度(℃)	车间及工作地点名称	温度(℃)
办公室	18～20	厕所	14
会议室	18～20	盥洗室	14
休息室	18～20	食堂	18
存衣室	18～20	厨房	14
资料室	18～20	浴室	25
值班室、观察室	18～20	浴室更衣间	25
医务室	20～22	门卫室	18
控制室	18～20		

附录 H 光伏压延玻璃工厂机械通风换气次数

H.0.1 机械通风换气次数应符合表 H.0.1 的规定。

表 H.0.1 机械通风换气次数

房间名称	换气次数(次/h)	备注
水泵房	5	—
变压器室、电加热控制室	3～6	无外门窗
柴油泵房	3	—
重油泵房(地面上)	3	—
重油泵房(地面下)	10	—
燃油控制室	6	—
化学分析室	7	—
汽车库	3～6	无外窗
加热室	—	按发热量计算

H.0.2 事故通风换气次数应符合表 H.0.2 的规定。

表 H.0.2 事故通风换气次数

房间名称	换气次数(次/h)	备注
柴油发电机的储油间	13	防爆排风
天然气及液化石油气房间	13	防爆排风
焦炉煤气房间	13	防爆排风

本规范用词说明

1 为便于在执行本规范条文时区别对待,对要求严格程度不同的用词说明如下:

  1)表示很严格,非这样做不可的:

    正面词采用"必须",反面词采用"严禁";

  2)表示严格,在正常情况下均应这样做的:

    正面词采用"应",反面词采用"不应"或"不得";

  3)表示允许稍有选择,在条件许可时首先应这样做的:

    正面词采用"宜",反面词采用"不宜";

  4)表示有选择,在一定条件下可以这样做的,采用"可"。

2 条文中指明应按其他有关标准执行的写法为:"应符合……的规定"或"应按……执行"。

引用标准名录

《建筑地基基础设计规范》GB 50007
《建筑结构荷载规范》GB 50009
《建筑抗震设计规范》GB 50011
《Ⅲ、Ⅳ级铁路设计规范》GB 50012
《建筑给水排水设计规范》GB 50015
《建筑设计防火规范》GB 50016
《采暖通风与空气调节设计规范》GB 50019
《建筑抗震鉴定标准》GB 50023
《湿陷性黄土地区建筑规范》GB 50025
《城镇燃气设计规范》GB 50028
《压缩空气站设计规范》GB 50029
《建筑照明设计标准》GB 50034
《锅炉房设计规范》GB 50041
《烟囱设计规范》GB 50051
《供配电系统设计规范》GB 50052
《低压配电设计规范》GB 50054
《通用用电设备配电设计规范》GB 50055
《建筑物防雷设计规范》GB 50057
《爆炸危险环境电力装置设计规范》GB 50058
《3～110kV 高压配电装置设计规范》GB 50060
《电力装置的继电保护和自动装置设计规范》GB/T 50062
《电力装置的电测量仪表装置设计规范》GB/T 50063
《交流电气装置的过电压保护及绝缘配合设计规范》GB/T 50064
《交流电气装置的接地设计规范》GB/T 50065

《给水排水工程构筑物结构设计规范》GB 50069
《石油库设计规范》GB 50074
《钢筋混凝土筒仓设计规范》GB 50077
《工业企业噪声控制设计规范》GB/T 50087
《膨胀土地区建筑技术规范》GB 50112
《建筑灭火器配置设计规范》GB 50140
《工业企业总平面设计规范》GB 50187
《公共建筑节能设计标准》GB 50189
《构筑物抗震设计规范》GB 50191
《电力工程电缆设计规范》GB 50217
《工业金属管道设计规范》GB 50316
《城市排水工程规划规范》GB 50318
《储罐区防火堤设计规范》GB 50351
《民用建筑设计通则》GB 50352
《民用建筑供暖通风与空气调节设计规范》GB 50736
《厂矿道路设计规范》GBJ 22
《钢制压力容器》GB 150
《工业碳酸钠及其试验方法》GB 210
《三氧化二锑》GB/T 4062
《工业硝酸钠》GB/T 4553
《生产设备安全卫生设计总则》GB 5083
《工业无水硫酸钠》GB/T 6009
《起重机安全规程》GB 6067
《电梯制造与安装安全规范》GB 7588
《机械安全 防护装置 固定式和活动式防护装置设计与制造一般要求》GB/T 8196
《污水综合排放标准》GB 8978
《防止静电事故通用导则》GB 12158
《工业企业厂界环境噪声排放标准》GB 12348

《液体石油产品静电安全规程》GB 13348
《电能质量 公用电网谐波》GB/T 14549
《用能单位能源计量器具配备和管理通则》GB 17167
《一般工业固体废物贮存、处置场污染控制标准》GB 18599
《节水型产品通用技术条件》GB/T 18870
《压力管道规范 工业管道》GB/T 20801
《平板玻璃工厂工业大气污染物排放标准》GB 26453
《节水型生活用水器具》CJ/T 164
《太阳电池用玻璃》JC/T 2001
《冻土地区建筑地基基础设计规范》JGJ 118
《燃料油》SH/T 0356
《锑酸钠》YS/T 22

中华人民共和国国家标准

光伏压延玻璃工厂设计规范

GB 51113 - 2015

条文说明

制 订 说 明

《光伏压延玻璃工厂设计规范》GB 51113—2015，经住房城乡建设部 2015 年 6 月 26 日以第 863 号公告批准发布。

本规范在编制过程中，编制组对我国光伏压延玻璃工厂的设计进行了大量的调查研究，总结了我国光伏压延玻璃工厂工程建设的实践经验，同时参考了国外先进生产技术和技术标准，取得了光伏压延玻璃工厂设计方面的重要技术参数。

为便于广大设计、施工、科研、学校等单位有关人员在使用本规范时能正确理解和执行条文规定，《光伏压延玻璃工厂设计规范》编制组按章、节、条的顺序编制了本规范的条文说明，对条文规定的目的、依据以及执行中需注意的有关事项进行了说明，还着重对强制性的条文的强制性理由作了解释。但是，本条文说明不具备与规范正文同等的法律效力，仅供读者作为理解和把握标准规定的参考。

目 次

1 总　　则 …………………………………………… (105)
4 总体规划与厂址选择 ……………………………… (106)
　4.1 总体规划 ……………………………………… (106)
　4.2 厂址选择 ……………………………………… (106)
5 总图运输 …………………………………………… (108)
　5.1 一般规定 ……………………………………… (108)
　5.2 总平面布置 …………………………………… (108)
　5.3 交通运输 ……………………………………… (110)
　5.4 竖向设计 ……………………………………… (110)
　5.5 管线综合布置 ………………………………… (111)
　5.6 绿化设计 ……………………………………… (112)
6 原　　料 …………………………………………… (114)
　6.1 原料的选择与品质要求 ……………………… (114)
　6.2 玻璃化学成分 ………………………………… (114)
　6.3 工艺设备选型 ………………………………… (114)
　6.4 工艺流程及布置 ……………………………… (114)
7 联合车间 …………………………………………… (115)
　7.2 熔化系统 ……………………………………… (115)
　7.3 成形系统 ……………………………………… (116)
　7.6 碎玻璃系统 …………………………………… (116)
　7.8 联合车间工艺布置 …………………………… (116)
8 燃　　料 …………………………………………… (118)
　8.2 燃油 …………………………………………… (118)
　8.3 天然气 ………………………………………… (118)

8.4	焦炉煤气	(119)
9	**建筑与结构**	**(120)**
9.1	一般规定	(120)
9.2	生产车间与辅助车间	(121)
9.5	主要车间建筑结构布置	(121)
9.6	主要车间结构选型	(121)
9.7	构筑物	(121)
10	**公用辅助工程**	**(122)**
10.1	给水与排水	(122)
10.2	电气	(122)
10.3	供热与供气	(123)
10.4	采暖、通风、收尘、空气调节	(124)
10.5	其他生产设施	(125)
11	**生产过程检测和控制**	**(126)**
11.1	自动化水平的确定	(126)
11.2	配料称量系统	(126)
11.3	熔化系统	(126)
11.4	成形系统	(127)
11.6	冷端系统	(127)
11.7	辅助生产系统	(127)
11.8	仪表用电源和气源	(127)
11.9	控制室	(127)
12	**环境保护**	**(128)**
12.1	一般规定	(128)
12.2	大气污染防治	(128)
12.3	废水污染防治	(130)
12.4	噪声及振动防治	(131)
12.5	固体废物污染防治	(132)
12.6	环境监测	(133)

13 节　　能	(135)
13.2 总图与建筑节能	(135)
13.3 工艺及设备节能	(135)
13.4 电气及自动化控制节能	(135)
13.5 辅助设施节能	(136)
14 职业安全卫生	(137)
14.1 一般规定	(137)
14.2 防火与防爆	(137)
14.3 防电与防雷	(138)

1 总 则

1.0.3 本条主要是指设计方案应经过多方案综合比较,对于改建、扩建项目应充分利用原有生产及辅助设施,在一定的投资条件下,应为技术发展和产品更新创造有利条件。

4 总体规划与厂址选择

4.1 总体规划

4.1.1 厂区总体规划应符合当地的建设规划,主要是平面布局、规划控制指标、用地控制红线、建筑形式等,应与当地规划协调。

4.1.2 近期和远期的关系需要遵循的原则是:总体布局,分期实施,近期集中布置,远期预留发展。

4.1.3 应根据工厂所在地的生产、交通、公用设施及其发展条件,进行认真研究和方案比较,对工厂生产分区、自建的生活区、厂外交通运输线路及厂外自建的其他工程设施的位置进行统筹规划。

4.2 厂址选择

4.2.1 厂址选择除应符合当地总体规划要求和现行国家标准的有关规定外,还应遵守国家法规《城市规划法》和《中华人民共和国土地管理法》等的有关规定。

4.2.2 影响光伏压延玻璃工厂选址的主要因素有原料、燃料、运输及工厂本身的建设条件,应对上述各种因素进行详细的技术经济比较后,选取综合效益最佳的厂址方案。

4.2.3 厂址位于山区时,竖向的布置与比较尤为重要。实践证明,如果有条件,将联合车间的热端布置在低台段(二层),而冷端布置在高台段(一层),无论是从工艺生产还是从节约土石方工程量考虑都是比较理想的。

4.2.4 厂区标高的确定对于工厂的安全非常重要,目前很多光伏压延玻璃工厂采用的是一层建筑形式,熔窑、循环水等重要设施设置在地坑(地下室),一旦厂区洪水不能顺利排出,将会直接进入地坑,造成重大人民生命及财产安全事故。对于建在工业园区内的工厂,竖向标高及防、排涝措施在工业园区的"控制性详细规划"中均有详细说明,可遵照执行。

5 总图运输

5.1 一般规定

5.1.1 本条强调总平面布置要按照批准的厂区总体规划或可行性研究报告进行,同时说明了总平面布置的一般原则。总平面技术经济指标,各地方规划部门要求不尽相同,应与当地规划主管部门沟通协调后确定,以满足要求。

5.1.3 建(构)筑物等设施采用集中、联合、多层布置方式可减少占地面积和运输环节。

5.1.4 本条提出在合理布局的情况下,尽量将预留地放在厂外,可减少一期工程的用地面积,但此举往往与城市规划的用地产生矛盾,需与地方规划部门协调确定。

5.1.5 厂区通道宽度的确定,要综合考虑。本条推荐的主要通道宽 20m~30m,是指道路宽 8m~10m,两侧管网带各宽 6m~10m。在管网密集地带,宜取上限。

5.1.6 本条规定的目的是在改建(或扩建)的过程中,使新老厂区的总平面设计更趋于紧凑合理,同时减少拆迁费用,降低改建(或扩建)工程的建设投资。

5.1.7 合理布置建(构)筑物等设施,可以减少基建工程量,节约工程费用。

5.1.9 合理地组织物流和人流,目的是避免交叉干扰,使物料沿着短捷的路径,顺畅地输送到各生产部位,确保安全生产,降低运输成本。

5.2 总平面布置

5.2.1 合理利用场地内的地形,尽量在场地内平衡土石方工程,可节约土石资源及运能。

5.2.2 荒料堆场和板材库等大型建(构)筑物,均化库、成品库及加工车间等,布置在土质均匀、土壤允许承载力较大的地段,可以避免产生不均匀下沉,且节省地基工程费用。较大、较深的地下建(构)筑物,布置在地下水位较低的地段,可以减少土石方开挖工程量和防水处理工程费用。

5.2.5 碎玻璃堆场是生产设施中一个重要组成部分,内含卸车、储存、转运等作业和功能,是总图运输设计中内容多、工作量大、影响面广的单元,故作出本条规定。

 1 对碎玻璃堆场各生产环节的要求;

 2 根据储存量的要求,确定碎玻璃堆场的面积。

5.2.7 变(配)电所是企业生产的关键设施,应确保安全供电。

 1 应考虑高压线的进出线对方位、走向和通廊宽度的要求,且有利于扩建发展;

 2 设置本款的目的是为了防止电气设备受到振动而损坏,造成停电事故;

 3 电气设备若受到烟尘污染、有害气体的腐蚀或潮湿侵害,可导致绝缘电阻的功能下降、泄漏电流增大、造成短路事故;

 4 考虑光伏压延玻璃生产线采用二层建筑形式比较多,尽量利用底层空间布置车间变电所,不仅可以节约土建投资,还可节省电缆长度。

5.2.8 燃油储罐区包括油泵房及卸油附属设施。燃油储罐是光伏压延玻璃工厂非常重要的仓储设施,是工厂危险源甚至重大危险源之一,一旦油罐发生破裂甚至爆炸,会造成重大的人民生命及财产安全事故。对于油罐区的布置,应符合下列规定:

 1 储罐区应位于远离明火及架空供电线路的安全地段,且不得影响厂区周围地段安全;

 2 当靠近江、河岸边布置时,应防止油液流入江河;

 3 燃油储罐区的周围应设置1.6m～2.0m高的非燃烧体

围墙。

5.2.10 本条对压缩空气站布置作了规定。

3 储气罐一般都是露天布置的,将其布置在站房的北侧,是为了储气罐位于阴面,防止因暴晒引起储气罐爆炸事故。如果条件不容许时,储气罐宜设遮阳棚。

5.2.14 机修、仓库区包括机械修理设施、备品备件及小型原材料仓库。

5.2.17 国土资源部在《工业项目建设用地控制指标》的通知(国土资发〔2008〕24号)中明确规定,工业项目所需行政办公及生活服务设施用地面积不得超过工业项目总用地面积的7%,并严禁在工业项目用地范围内建造成套住宅、专家楼、宾馆、招待所和培训中心等非生产性配套设施。

5.3 交通运输

5.3.2 厂内铁路线的布置,应在充分考虑近、远期运输量及运输方式的基础上,提出布置要求,供铁路设计部门参考。

5.3.3 厂区道路的布置,在满足使用功能的前提下,应尽量减少占地面积。但在工厂的厂前区,可结合厂前区环境,设计得宽阔一些。

5.4 竖向设计

5.4.1 本条是竖向设计总的原则要求,竖向设计方案必须经过综合比较,衡量的标准是为生产、管理、厂容和施工创造良好的条件,且使基建工程量和投资最少。

5.4.2 本条是竖向设计应达到的总体要求:

2 在地形复杂的场地建厂时,竖向设计中设置过缓的放坡或较多的台阶,都会增加通道的宽度,不利于节约用地;

3 沿江、河、湖、海建设的企业,洪、潮、内涝水的危害是不可忽视的;

4 竖向设计的土方(或石方)、护坡、挡土墙等工程量,对建设投资和工期影响很大;

5 山区建厂对土方(或石方)工程如处理不当,填土或挖土会破坏山坡植被,产生水土流失等问题;

6 天然排水系统的形成有其自然发展规律,如处理不当,会造成冲刷、淤塞、水流不畅等后果;

7 工厂是城市的一个组成部分,厂区围墙、地面标高应与周围环境相协调;

8 竖向设计应避免只管近期,不顾远期,从而给远期工程建设和经营带来困难。

5.4.3 竖向设计形式可采用平坡式或阶梯式。在确定采用何种形式时,要对本条所列条款进行综合技术、经济比较后选取。有些地段,虽然强调了利用地形、节约了土石方,但势必会增加厂区内的台阶之间连接的坡道、挡墙费用,也会增加生产运行费用。

5.4.6 本条是对厂区的竖向布置作的规定。

1 本款主要是为便于生产管理,节省运输费用;

2 如果工厂受运输条件限制,应将要求道路坡度小的厂房布置在同一台阶;

3 可节省土方(或石方)及护坡支挡建(构)筑物基础等的投资;

4 本款是决定台阶宽度应考虑的因素;

5 在工业企业场地的自然坡度大于5%,其地形不能满足所设置的台阶宽度和高度时,需结合与外部道路(铁路)的衔接,并满足排水的条件下,按设计要求对场地进行整平。

5.5 管线综合布置

5.5.1 管线综合布置是光伏压延玻璃工厂总图设计工作的重要组成部分,是衡量工厂总图布置合理程度的标准之一。各种管线的性质、用途和技术要求各不相同,互相联系、互相影响,在总平面布置时应统筹安排,合理地进行综合布置。

5.5.2 管线敷设方式有地上和地下两大类。地上敷设方式有管架、低架、管墩及建筑物支撑式。地下敷设方式有直埋式、管沟式和共沟式。在满足生产、安全、交通运输、施工、检修等要求及技术经济合理的前提下,厂区给水、排水、循环水及电缆等管线,通常宜选用地下敷设方式;厂区易燃可燃液体、燃气、热力、压缩空气等管线,通常宜选用地上管架敷设方式。

5.5.3 管线用地在企业用地中占有一定的比例,综合敷设管线可以节约用地。

5.5.4、5.5.5 此两条规定是为了保护管线,保证安全生产、减少投资、方便交通运输而制定的。

5.5.6 本条规定是为了防止近、远期工程的管线布置处理不当而形成不合理的布局,造成土地浪费、布置混乱、生产环境不佳,并给施工、检修、生产和经营带来诸多不便。

5.5.7~5.5.9 此3条是在调查和总结设计实践经验的基础上,参照给水、排水、城镇燃气、电力、锅炉房、通讯等有关现行国家标准以及总图运输规范制定的。条文是在满足安全、管线施工、维护检修、减少相互间有害影响的条件下,达到安全生产、节约用地、减少能耗、降低成本的目的而制定的。

5.5.10 改、扩建工程往往有许多制约因素,约束多、难度大,在不能满足本规范中规定的管线间最小水平净距值时,结合具体情况,可采取有效措施后适当减小净距,但减小净距的范围宜在10%~15%之间。

5.6 绿 化 设 计

5.6.1 本条是绿化的基本原则。用绿化消除和减少生产过程中所产生的有害气体、粉尘和噪声对环境的污染,改善生产和生活条件,具有良好的效果。绿化形式及植物的配置方式应根据不同功能及当地自然条件而选用。

5.6.2 《关于发布和实施〈工业项目建设用地控制指标〉的通知》（国土资发〔2008〕24号）中明确规定，工业项目建设绿地率不得超过20%。

  1 对房前屋后、路边、围墙边角的空地进行绿化；

  2 利用管架、栈桥、架空线路等设施下面场地及地下管线带地面布置绿化；

  3 应避免在环境洁净度要求较高的生产车间或建筑物附近种植带花絮、绒毛的树木。

5.6.3 本条所推荐的重点绿化地段是在总结企业绿化实践经验的基础上提出的，执行中应根据工程条件灵活掌握，不局限本条所列地段。

6 原　　料

6.1　原料的选择与品质要求

6.1.2　光伏玻璃的原料成分在满足玻璃成分要求的前提下,有用氧化物含量可适当增减,有害氧化物含量应严格控制。

6.2　玻璃化学成分

6.2.1　Fe_2O_3的含量可根据用户的具体要求而调整。

6.2.2　轻碱的飞散率为碱用量的0.5‰～1.5‰,重质碱的飞散率可忽略不计。

6.2.3　配合料在混合机出口温度无法达到要求的,可采用加热水、加蒸汽的方式辅助升温。

6.3　工艺设备选型

6.3.2　本条是称量混合及设备选型的基本原则。

　　1　称量设备的动态精度不应低于1/1000,但加小料时可适当放宽。

6.3.3　本条规定是输送设备选型的原则与要求,在设计中应根据工厂的实际情况,灵活运用这些原则。在设备选型时应根据诸多因素进行设备的生产能力计算。

6.4　工艺流程及布置

6.4.1　本条对原料系统的工艺设计原则作了规定。如原料储存、上料和称量混合三个系统的工艺流程应尽量短、环节少,避免交叉运输。

6.4.4　当原料的流动性能差并易于结拱时,使用助流破拱装置,具有良好的清堵效果。

7 联 合 车 间

7.2 熔 化 系 统

7.2.1 本条是结合国内目前的生产、装备水平提出的设计要求。

7.2.3 熔窑助燃风通过热工计算确定其用量,通过管道阻力计算和所选用燃烧器型式确定其风压。

7.2.4 为了对熔窑均匀加热及回收和利用由烟气带走的余热,每隔一定时间进行一次换火。根据熔窑使用燃料的种类,确定换向设备的类型;根据熔窑的操作与控制水平,选择换向方式。

7.2.5 根据热工要求确定熔窑各部位冷却风的选型参数。

7.2.6 本条对光伏压延玻璃熔窑结构设计作了规定。

  1 本款是熔窑设计应遵循的设计原则:

  6)耐火材料的选用及配套设计直接关系到熔窑的使用寿命,具体操作时应根据燃烧工艺、熔窑各部位热工特点及耐火材料性能进行设计。

  2 主要技术指标应包括熔化能力、熔化率、能耗、窑龄等:

  2)熔化率是熔窑设计的一个主要指标。熔化率的确定与玻璃品种、质量、燃料种类、燃烧工艺及生产操作水平等有密切的关系,因此不宜追求熔化率的高指标;

  3)玻璃液热耗是根据熔窑熔化能力、结构特征及所采用的燃料,并结合国内熔窑的实际情况提出。

  3 钢结构设计应考虑熔窑作为一个热工设备的特点。

  4 光伏压延玻璃由于透热性好,池底玻璃液黏度相对较低,为了确保熔窑的安全生产和使用寿命,其熔窑的熔池深度宜比生产普通钠钙玻璃的熔池深度深,同时为了防止池底渗玻璃液,池底应设有密封料对池底进行密封保护。

 6 小炉的设计原则及有关参数是根据国内设计经验总结提出的。

 7 蓄热室的设计原则及有关参数是根据熔窑能耗要求和国内设计经验总结提出的。

 8 为减少烟道的漏风量及提高余热的利用率,烟道应加强密封和保温。

7.3 成形系统

7.3.1 本条是成形段工艺设计的基本要求,由于成形主要由成形设备完成,工艺要根据拉引量大小、玻璃板厚薄等对设备供应商提出各项参数要求。

7.6 碎玻璃系统

7.6.5 本条规定的目的是防止墙体掉渣污染玻璃。

7.8 联合车间工艺布置

7.8.1 根据生产工艺流程,联合车间可划分为熔化工段、成形工段、退火工段、切裁工段和成品工段。

7.8.2～7.8.5 光伏压延玻璃熔化、成形、退火、切裁工段厂房布置形式,结合目前国内已投产的工厂、新设计的工厂以及中外合资等项目的情况,主要有以下几种形式:

 (1)熔化、成形、退火、切裁工段为单层厂房,即窑头楼面设在±0.000平面上,这种形式的优点是运输方便、节约投资,要结合当地的地形、风力、地下水位低等条件采用;

 (2)熔化、成形、退火、切裁工段均设在二层楼面上,这种布置形式的厂房造价较高,运输不方便,但可充分利用底层的建筑面积;

 (3)熔化、成形、退火工段为二层厂房,切裁工段通过斜坡辊道

改成单层厂房,这种布置形式综合了上述两种形式的优点;

(4)成品工段的位置与厂房布置形式有直接关系,一般紧接在切裁工段的后面布置。

8 燃 料

8.2 燃 油

8.2.4 本条是在总结生产经验基础上做的规定。供卸油系统的设计，应符合现行国家标准《建筑设计防火规范》GB 50016的有关规定，并应根据实际用油的品质进行。

8.2.5 本条对油站设备选型作了规定。光伏压延玻璃厂燃料油站常用的设备有卸油泵、储油罐、供油泵、过滤器、加热器等。在设备选型前应根据供油量、油品指标、油温、管道布置、运行工况等因素进行计算。

  1 卸油泵不应少于2台，一台使用、一台备用；

  2 供油泵不应少于3台，一台用于运行、一台热备、一台冷备；

  8 油罐不宜少于2座，一座使用、一座用于进油和脱水。

8.2.6 本条是油管道设计的一般通用性要求，应按常规要求执行。

8.2.7 本条对联合车间供油系统作了规定。

  1 本款是熔制车间常用的几种基本油路系统方式，结合各厂的特点还可派生出其他的油路系统方式；

  3 加热器的选用应满足油质和燃油喷嘴的需要；

  4 本款规定为车间油泵、油罐间设计的特殊要求，其他按常规要求设计。

8.3 天 然 气

8.3.2 本条规定为光伏压延玻璃工厂用天然气的基本要求，其他要求按国家有关规定执行。

8.3.3 本条对厂配气站的工艺布置作了规定。为确保压力和熔窑温度制度的稳定，一般设有二级调压。

8.3.4 本条对联合车间天然气系统设计作了规定。熔窑要求天然气的压力相当稳定，进车间干管为专用干管。

8.4 焦炉煤气

8.4.1、8.4.2 焦炉是指用煤炼制焦炭的窑炉，炼制焦炭过程中产生的焦炉煤气的热值一般在 16000kJ/Nm³ 左右。由于煤气属副产品，一旦焦炭市场发生波动，将引起煤气产量的波动，故需有第二燃料。

8.4.4 熔窑换火时需停气 30s～50s，积压在管道内的煤气会使管道内压力升高而导致焦炉煤气加压机停止运行，因此应在加压机出口设管道泄压装置。

8.4.5 本条对联合车间焦炉煤气系统设计作了规定。熔窑要求焦炉煤气的压力相当稳定，进车间干管为专用干管。

9 建筑与结构

9.1 一般规定

9.1.2 建筑结构设计首先应满足生产工艺需要,保证对生产设备的保护、劳动者的安全,还应根据环境保护、地区气候特点,切实考虑自然条件对建筑设计的影响。

9.1.3 结构型式的选用应本着"技术先进、经济合理、安全适用、确保质量"的总原则,结合具体工程的规模、投资、所在地区施工水平、进度要求等因素综合考虑。在综合考虑的基础上,应积极采用成熟的新结构、新材料、新技术,以提高工程的科技含量,降低工程造价。

9.1.4 本条是根据现行国家标准结合光伏压延玻璃工厂的建(构)筑物特点制定的。

9.1.6 本条是根据现行国家标准《建筑结构可靠度设计统一标准》GB 50068 的要求,对光伏压延玻璃工厂各建(构)筑物安全等级的具体划分。

9.1.7 本条是根据《建筑工程抗震设防分类标准》GB 50223,对光伏压延玻璃工厂各建(构)筑物抗震设防分类的具体划分,对适度设防类建筑,其设防标准可稍低于主要生产车间。

9.1.8 建筑结构设计首先应满足生产工艺需要,对一些不规则建筑,结构人员应事先与工艺设计人员协商,争取在满足生产工艺的前提下尽可能地改善建筑物平面和竖向布置的规则性。建筑形体及其构件布置的规则性要求应参照《建筑抗震设计规范》GB 50011 中第 3.4 节执行。

9.1.10 均化库、原料库地面生产原料堆放、成品库地面成品玻璃堆放时应结合地基情况慎重考虑。

9.2 生产车间与辅助车间

9.2.4 一般物料库房在满足使用功能的前提下,其建筑结构标准可稍低于主要生产车间。

9.5 主要车间建筑结构布置

9.5.2 本条对联合车间的建筑与结构布置作了规定。

  9 设置高侧窗的目的是为了满足主车间天然采光和自然通风的需要。

9.6 主要车间结构选型

9.6.4 设备运转可能引起厂房结构发生局部或整体振动,需慎重对待。

9.7 构 筑 物

9.7.5 当单体筒仓的平面尺寸不大于 3m×3m,竖壁高不超过 3m,仓斗不附振动设备时,可采用无肋钢仓斗。

10 公用辅助工程

10.1 给水与排水

10.1.6 本条对给水管网设计作了规定。

10.1.8 本条系根据现行国家标准《污水综合排放标准》GB 8978—1996 中第 4.2.2.2 及第 6.2 条规定:水污染物的排放应同时执行各表的规定。省、自治区、直辖市人民政府对执行国家水污染物排放标准不能保证达到水环境功能要求时,可以制定严于国家水污染物排放标准的地方水污染物排放标准。

10.2 电 气

10.2.1 用电负荷分级主要是从安全和经济损失两个方面来确定。安全包括人身安全和生产过程及装备的安全。条文中是按事故停电的损失来确定负荷的特性,对于事故停电造成经济损失的评价主要应该取决于用户自身所能接受的程度。压延联合车间熔化工段、成形工段、退火主传动和循环水泵房等生产用电负荷应为一级负荷,压延联合车间退火工段、切裁工段和配料车间、压缩空气站、燃料车间等生产用电负荷应为二级负荷。

10.2.2 实际运行经验表明,电气故障是无法限制在某个范围内部,电力部门也不能保证供电不中断。光伏压延玻璃工厂是连续用电单位,长时间的停电将造成重大损失。因此,在确定供电电源时,应综合分析当地的电网状况和供电质量,经技术经济比较后,确定在厂内是否设自备发电站作为应急电源。

10.2.3 本条对工厂供电电源的总供电量作了规定,总供电量包括原片和深加工生产及辅助设施用电负荷。如平时供电电源为两个,两个电源宜各负担全厂负荷的50%左右,当一个电源故障中断供电时,另一个电源应满足全厂一级和二级负荷的用电量需要。

10.2.4 本条是供配电系统设计的基本要求,工程设计中用户可根据实际情况特点,合理灵活确定其供配电系统。

  3 工厂电源进线的功率因数应达到地区供电主管部门的规定要求,应在低压侧进行无功功率补偿,并宜采用成套功率因数自动补偿装置。也可采用高压侧和低压侧结合补偿的方式。

10.2.5 本规范将仅有配电设备而无主变压器的站房称为总配电所;有主变压器同时有配电设备的站房称为总变电所。车间变电所一般有变压器和配电设备。

10.2.14 由于现行国家标准《爆炸危险环境电力装置设计规范》GB 50058 中对有关场所的划分、设备选型与布置、电气装置的设计等均作了明确规定。因此,设计时应按照该规范的要求执行。

10.2.15 当不符合全压起动的条件时,应优先采用降压起动方式(包括切换绕组接线、串接阻抗、自耦变压器起动等)。除降压起动外,还可能采用其他适当的起动方式。如某些有调速要求的电动机可利用调速装置来起动;绕线转子电动机可采用频敏变阻器或电阻器起动。

10.2.17 本条对厂区电力线路敷设作了一般性规定。

  1 电缆直接埋地和电缆沟内敷设方式,一般较易实施,具有节省投资的显著优点,故本条推荐优先采用。

10.3 供热与供气

10.3.4 本条对余热锅炉与引风机选型作了规定。

  2 当余热锅炉采用烟管式时,烟灰不得用清水冲刷,宜采用蒸汽吹扫或用钢丝刷清除;

  3 本款的技术参数适用于余热锅炉房内只有一台引风机运行的时候,多台引风机运行时风量及风压的富余量相应增加。

10.4 采暖、通风、收尘、空气调节

10.4.1 采暖、通风与空气调节设计方案,直接涉及投资、能源、环境保护与管理使用。北方厂供热投资、能耗较大;南方厂空气调节设备投资及能耗较大,因此设计方案的选择,一定要根据建厂地区综合条件,确定技术先进可行、经济合理的设计方案。

10.4.2 生产管理及生活建筑按规定须进行施工图图审,一般在设计和节能方面有更严格的要求。

10.4.5 综合防尘措施包含物料加湿及湿法清扫、密闭尘源、通风收尘、个人防护、强化管理及检查、宣传教育。采用有效的综合防尘措施可以使各生产岗位的空气含尘浓度和向大气排放的粉尘浓度达到国家标准。

10.4.6 本条对采暖热媒的选择作了规定。

1 光伏压延玻璃工厂一般均设有余热锅炉房,产生的蒸汽可作为冬季采暖热源直接使用或经换热器换热成热水使用。热水采暖的室内环境舒适度较好,应推荐使用;

2 生产管理及生活建筑采暖热媒的要求应与现行国家标准《民用建筑供暖通风与空气调节设计规范》GB 50736 一致;

3 电能是高品位能源,一般不适宜直接用于采暖。

10.4.7 本条对采暖方式的选择作了规定。

1 冬季室内计算温度是根据现行国家标准《采暖通风与空气调节设计规范》GB 50019 以及国家对工业企业设计卫生标准的有关规定,结合光伏压延玻璃工厂工人劳动强度与每名工人占地面积情况制定的,对热车间的冬季采暖不做规定或降低采暖标准;

2 在非采暖地区的光伏压延玻璃工厂,设在成品库中的人工采板区以及需要保持合适室温的配合料输送皮带廊,根据需要可设局部采暖;

3 本条从安全角度出发作此规定。

10.4.10 本条是收尘系统设计应遵循的一般原则。

3 原料车间的控制室应密闭,熔化工段窑头投料平台附近应设工人值班室;

6 收尘系统先于工艺设备启动,可以造成良好的负压环境以控制粉尘外逸。

10.4.11 本条对收尘系统的选择作了规定。

1 同一生产流程、同时工作的扬尘点相距不远时,如果采用分散式机械收尘系统则单个的小收尘器太多,故本款作此规定;

2 光伏压延玻璃工厂粉尘种类较多,对产品品质、配料量无影响的物料应回收利用,故宜分别设置机械收尘系统。

10.4.12 本条对收尘管道设计作了规定。

1 本款规定的目的可减少粉尘堵塞收尘管道;

5 收尘系统的排风管应尽量高,降低排风管出口高度则排放标准就要提高;排风管安装过低时,异物容易通过排风管进入风机;排风管出口高出屋面 3m 以上时需要设拉索固定以减小风力影响。

10.5 其他生产设施

10.5.1 本条对中心化验室的设置作了规定。

1 本款规定的目的是为了控制生产用原料、燃料、配合料以及玻璃成品的质量;

2 检测仪器及环境设施应能满足有关标准的要求。

10.5.2 本条对维修车间的修理能力配置作了规定。

1 光伏压延玻璃工厂所在地不具备外部协作条件时,可按设备中修能力设置维修车间,否则可按设备的小修能力设置维修车间。

11 生产过程检测和控制

11.1 自动化水平的确定

11.1.1 本条是生产过程自动化设计的基本要求。

1 先进的自动化技术包括采用计算机控制系统、智能仪表系统、智能检测仪表和执行机构、智能调节阀门等硬件装备以及各类高级控制软件、高级控制方案等;

2 自控设计应根据工程特点、规模大小和发展计划,确定其装备水平。装备水平主要指选用的各类控制装备的硬件等级。

11.1.2 目前现有的光伏压延玻璃生产线中,普遍采用的是分布式计算机控制系统及可编程控制系统。

11.2 配料称量系统

11.2.1 本条对配料称量系统的检测和控制作了规定。

4 本款规定的目的是为保证原料的干基量。

11.3 熔化系统

11.3.1 本条对熔窑温度、压力及玻璃液面的检测和控制作了规定。

1 重要检测点(如熔窑和蓄热室碹顶)的温度记录应包括采用记录仪或计算机控制系统的历史趋势记录;

2 熔化部窑压应自动控制,是为了稳定熔窑内的气氛;

4 玻璃液面的自动控制,是为成形部分的工况稳定提供良好的条件。

11.3.2 本条对熔窑燃烧系统的检测和控制作了规定。主要目的是方便了解燃料充分燃烧的情况和燃料用量,通过适当的控制手段,及时调节燃料用量和助燃空气流量,保证燃料燃烧效果,稳定熔窑燃烧系统的热工制度和燃烧工况。

11.3.3 燃烧换向过程是熔化过程最大的干扰源,应控制调节。

11.3.4 本条提出工业电视监视的主要部位,有条件时也可在车间内设置其他监视部位。

11.3.6 本条规定的目的是防止料仓空仓或满仓。

11.4 成形系统

11.4.1 本条对成形系统的检测和控制作了规定。具体的温度检测点详见工艺资料控制要求,压延机的控制方案和性能详见压延设备资料说明和要求。

11.6 冷端系统

11.6.1 本条对冷端系统的控制作了规定。具体的单机系统控制方案和性能详见冷端设备资料说明和要求。

11.7 辅助生产系统

11.7.1 辅助生产系统可包括所有非联合车间的内容。
　　1 控制内容较多的辅助生产系统(如锅炉房)可采用计算机控制系统。

11.7.2 本条规定的目的是为方便全厂的控制设备维护和互换。

11.8 仪表用电源和气源

11.8.1 本条对仪用电源的选择作了规定。
　　3 仪表用电源基本为弱电,错接相位会损坏仪表。

11.9 控制室

11.9.4 本条对接地要求作了一般性规定。
　　1 计算机控制系统的接地尚应针对各设备供货厂家系统的具体要求设计。

12 环境保护

12.1 一般规定

12.1.1 预防为主是光伏压延玻璃工厂环境保护的关键,重视厂址及设计优化可避免工厂建设和生产过程中对环境造成污染或不可逆转的破坏。

12.1.2 本条为强制性条文。根据修订后的《中华人民共和国环境保护法》第四十四条、《建设项目环境保护管理条例》第三条、《建设项目环境保护设计规定》第二十五条有关规定,建设项目产生的各种污染物治理后必须达到国家和地方规定的排放标准。国家实行重点污染物排放总量控制制度,重点污染物排放总量控制指标由国务院下达,省、自治区、直辖市人民政府分解落实。企业事业单位在执行国家和地方污染物排放标准的同时,应当遵守分解落实到本单位的重点污染物排放总量控制指标。

12.1.3 修订后的《中华人民共和国环境保护法》第四十一条已经明确规定,建设项目中防治污染的设施,应当与主体工程同时设计、同时施工、同时投产使用,目的就是为了在企业开始生产的同时就杜绝各种污染物的排放。

12.1.4 环境影响评价文件及审批意见所规定的各项环境保护措施的落实是保证污染物达标排放的关键,也是建设项目竣工环境保护验收的内容。

12.2 大气污染防治

12.2.1 《工业企业总平面设计规范》GB 50187是各行业都应执行的规范。工厂总平面设计时应合理划分功能区,以降低相互间的污染影响。如生产区、原料堆存区、办公生活区等的布置都应考虑风向、风速的影响。

12.2.2 本条主要说明工厂选址时应考虑大气污染问题。利用大气扩散和稀释能力是目前废气、烟气排放的措施之一。污染系数是表示污染程度大小的参数,它综合考虑了污染物扩散时风频和风速的协同作用。光伏压延玻璃工厂应位于城镇污染系数最小方位的上风侧,以防或减少粉尘及有害物质对城镇和居民区的不利影响。

12.2.3 新《环境影响评价导则 大气环境》HJ 2.2—2008 实施后,提出了大气环境防护距离的概念,厂址选择时应予以考虑。

12.2.4 目前,光伏压延玻璃工厂熔窑烟气的排放执行现行国家标准《平板玻璃工业大气污染物排放标准》GB 26453 的规定。

  1 光伏压延玻璃工厂环境影响评价的重点是大气,其次是废水、噪声、固废。所以大气环境质量影响评价,为大气污染防治措施设计提供科学依据。防治措施应符合环境影响评价结论和要求。如可行性研究阶段设计比《环境影响报告书(表)》先完成,初步设计阶段中的大气污染防治措施应按《环境影响报告书(表)》的结论进行修正。

  2 光伏压延玻璃工厂熔窑产生的硫氧化物主要来自芒硝的分解和燃料中硫的转化。玻璃行业 SO_2 主要来源于燃料和原料中芒硝。目前玻璃工厂主要燃料为重油、天然气和焦炉煤气;原料芒硝的用量在玻璃行业清洁生产标准中也有明确规定,根据现行行业标准《清洁生产标准 平板玻璃行业》HJ/T 361—2007 规定,达到清洁生产一级,芒硝含率≤2.0;达到清洁生产二级,芒硝含率≤3.5;达到清洁生产三级,芒硝含率≤5.0。玻璃熔窑烟气脱硫措施是 SO_2 达标排放的重要手段,也是减少 SO_2 排放的重要途径。烟气脱硫一般有湿法、半干法和干法脱硫技术。主要脱硫方法有石灰石法、石灰法、双碱法和氧化镁法等。设计时应根据当地原材料、运输等条件采用相应的脱硫方法。

3 目前窑炉废气中氮氧化物主要来源与燃烧方式有关。对于氮氧化物的控制宜首先通过全氧燃烧技术、分层燃烧技术、采用低的空气过剩系数以及选用低氮氧化物喷枪等措施来减少废气中的氮氧化物产生,其次末端处理宜选用SCR法进行脱硝。

12.3 废水污染防治

12.3.2 玻璃工厂的污水排放水质应符合现行国家标准的规定,如果当地有更严格的地方标准则应予执行。

排污口位置的规定是根据《中华人民共和国水法》第三十四条编写的。

《中华人民共和国水法》第三十四条规定:"禁止在饮用水水源保护区内设置排污口。在江河、湖泊新建、改建或者扩大排污口,应当经过有管辖权的水行政主管部门或者流域管理机构同意,由环境保护行政主管部门负责对该建设项目的环境影响报告书进行审批。"

12.3.3 为防止粉尘飞扬产生二次污染,产尘较大的原料车间与堆场设有冲洗地面、墙体等设施。可采用沉淀的方法,经沉砂池沉淀澄清。

12.3.4 熔窑燃料为重油时,产生含油废水。含油废水采用隔油池只能回收废水中的浮油,很难去除乳化油。一般隔油池的除油效率在60%左右,因此经隔油池处理的含油废水不能直接排放,要经过再次处理达到要求后再排入污水管道中。

目前国内玻璃工厂采用的处理方法有油水分离器法、隔油池和油水分离器组合法、混凝沉淀法和生物滤池法,设计时可根据具体条件采取相应的处理方法。

12.3.5 熔窑烟气脱硫收尘产生酸性废水,采用中和、曝气、絮凝、沉淀工艺,是比较成熟的处理工艺。

严寒及寒冷地区要考虑防冻措施,将沉淀池放入保温房间内或采用其他保温措施,以保证设施的正常运行。

12.4 噪声及振动防治

12.4.1 《工业企业噪声控制设计规范》GB/T 50087 是噪声污染防治设计的依据。

12.4.2 任何对外环境排放噪声的企业都应该执行本条规定。

12.4.3 本条强调噪声污染防治首先从设备选型和布置上加以控制,其次再根据噪声性质进行控制。

根据现行国家标准《工业企业噪声控制设计规范》GB/T 50087 的有关规定,对于生产过程及其设备产生的噪声,首先从声源上进行控制,以低噪声的工艺和设备代替高噪声的工艺和设备;如仍达不到要求,则应采用隔声、消声、减振以及综合控制等措施。选择设备时,控制设备噪声在 85dB(A)以下,是经济有效的办法。

按噪声性质分类,噪声可分 3 类。一是空气动力性噪声,二是机械性噪声,三是电磁性噪声。

空气动力性噪声一般在 80dB(A)~100dB(A)之间,有的高达 110dB(A)。目前光伏压延玻璃工厂对这类噪声都采取了隔声和消声的措施。如空气压缩机、风机噪声属于此类。

机械性噪声一般在 85dB(A)~102dB(A),有的高达 106dB(A),这类噪声一般采用减振、隔声和吸声措施,如水泵、混合机等设备。

电磁性噪声一般在 90dB(A)以下,它不是光伏压延玻璃工厂的主要噪声源,对周围环境质量影响不大,所以本规范没有明确规定对此类噪声的治理措施。

12.4.4 光伏压延玻璃工厂高噪声设备较多。为使厂界噪声排放达标,高噪声设备集中的车间利用工厂自身的大型建筑物、储库等阻隔噪声传播;对设置高噪声设备的建筑,如原料车间、联合车间、压缩空气站、循环水泵房等,设计中应根据声源的强度、环境条件,并结合围护结构的条件,采用开小窗或不开窗的形式形成声屏障,防止噪声外逸影响环境。

本条还着重考虑了声学因素。众所周知,噪声具有可叠加性,如果多种声源同时发声,其噪声值很高,将会对周围环境产生不利影响。利用地形、屏障、房屋、挡墙等隔声措施减小各车间噪声相互叠加,可减小对噪声敏感点的影响。车间门窗的朝向宜避开面向敏感点,背向比面向可降低 10dB(A)左右。

噪声敏感点是指医院、学校、机关、科研单位、住宅等需要保持安静的地方。

12.4.5 本条是为减小噪声对厂外噪声敏感点的影响而采取的措施。

12.4.6 空气动力性噪声应采取消声、隔声、减振等综合措施,分散布置的高噪声设备采取隔声罩等其他隔声措施。

12.4.7 光伏压延玻璃工厂的混合机等大型设备运转时除产生噪声外,还会产生振动,高噪声的空气动力性设备也会产生振动,本条规定工程设计时宜采用减振、隔振措施,防止对周围产生不良影响。混合机等设备宜设置基础减振装置,风机、空气压缩机等设备宜设置减振器。

12.4.8 隔振降噪设计适用于产生较强振动或冲击,从而引起固体声传播及振动辐射噪声的机器设备的噪声控制。当振动对操作者、机器设备运行或周围环境产生影响与干扰时,也应进行隔振设计。

12.5　固体废物污染防治

12.5.1 国家对固体废物污染环境的防治,实行减少固体废物的产生量和危害性、充分合理利用固体废物和无害化处理固体废物的原则。对有利用价值的废渣,应考虑回收或综合利用措施;对没有利用价值的可采用无害化堆置或焚烧等处理措施。防止固体废物综合利用过程中,只重经济效益不管防治污染的不良倾向。同时也要防止只重视减少污染或无害化,而不管经济开支,这样会使综合利用工作难以正常开展,甚至被停止。

12.5.2 脱硫渣为一般固体废物,通常作为水泥掺和料使用。暂时不能应用时,可以集中存放,储存场所应符合现行国家标准《一般工业固体废物贮存、处置场污染控制标准》GB 18599 的有关规定。

12.5.3 本条为强制性条文。含铬耐火材料在高温下使用以及用后废砖的堆放过程中可能会形成六价铬,污染大气、水源和土壤等,危害人体健康。在储存过程中应防止雨淋,否则会随雨水流入地表水体或渗入地下,对水体造成污染,因此规定储存场所应符合现行国家标准《危险废物贮存污染控制标准》GB 18597 的有关规定。不能综合利用的部分耐火材料应作为危险废物,按《中华人民共和国固体废物污染环境防治法》中对危险废物污染环境防治的特别规定执行。目前通常的做法是交由具有相应危险废物处理资质的单位进行处置。这里所称的危险废物处理资质,主要是指依据《危险废物经营许可证管理办法》由当地环境保护主管部门颁发的《危险废物经营许可证》。

12.5.6 生活垃圾一般在厂内设垃圾临时储存,由环卫部门定期运走。

12.6 环境监测

12.6.1 光伏压延玻璃工厂设置监测站(或监测组)有利于定期监测污染物是否达标排放,并有利于分析所排放污染的变化规律。大型光伏压延玻璃工厂可以单独设监测站,建筑面积一般为 100 m²～150m²,如有特殊需求,面积可适当增加。监测仪器按常规配备,如有特殊项目应增加新仪器。

因以下原因,光伏压延玻璃工厂可不设监测站,并把厂内污染物监测委托给当地环境保护监测部门进行:

1 检测人员需持证上岗;

2 厂内监测站无相应资质;

3 厂内重点污染源已设置了在线监测装置。

12.6.2 本条系根据《污水综合排放标准》GB 8978—1996 的第 5.1 条"在污水排放口必须设置排放口标志、污水水量计量装置和污水比例采样装置",和《平板玻璃工业大气污染物排放标准》GB 26453—2011 的第 5.1 条,对企业排放废气的采样应根据监测污染物的种类,在规定的污染物排放监控位置进行,有废气处理设施的,应在该设施后监控。

废气采样、采样点及采样孔的布置应符合国家现行标准《固定污染源排气中颗粒物测定与气态污染物采样方法》GB/T 16157、《固定源废气监测技术规范》HJ/T 397 或《固定污染源烟气排放连续监测技术规范》HJ/T 75 的有关规定执行;废水采样及采样点布置应符合现行国家标准《污水综合排放标准》GB 8978 的有关规定执行。

各排污口应按照《排污口规范化整治技术要求》(环监〔1996〕470号)的规定进行规范化设计。

13 节　能

13.2　总图与建筑节能

13.2.2　本条规定的目的是为了有效减少投资及运营过程中的能耗。

13.2.5　合理利用天然采光、自然通风等，可降低建筑采暖或空调的消耗。

13.2.6　各类建筑的节能设计应符合下列规定：

　　2　公共建筑，如办公楼、研发楼、食堂、浴室等，应按现行国家标准《公共建筑节能设计标准》GB 50189 的有关规定进行节能设计，并应满足当地建筑节能设计规范的相关要求；

　　3　居住建筑，如倒班宿舍等，应按现行行业标准《严寒和寒冷地区居住建筑节能设计标准》JGJ 26、《夏热冬冷地区居住建筑节能设计标准》JGJ 134、《夏热冬暖地区居住建筑节能设计标准》JGJ 75 的有关规定进行节能设计，并应满足当地建筑节能设计规范的相关要求。

13.3　工艺及设备节能

13.3.1　缩短工序之间的运距，可减少吊运设备作业距离、降低生产成本。

13.4　电气及自动化控制节能

13.4.1　我国一些企业中的变负荷运行的风机、泵类增加了变频调速装置后，平均节电 30%～50%。节约的电费可使增加的投资在 2 年～3 年内收回。故本条作此规定。

13.5 辅助设施节能

13.5.1 本条对光伏压延玻璃工厂的给水排水系统节能设计作了规定。

5 本款遵循节约用水的原则,宜采用全厂工业废水经统一收集进入废水处理系统,经处理后达到规定的水质标准后回用。

7 在缺少雨水地区,宜设置雨水收集回用设施,节约用水。但在设置雨水收集设施的同时,仍应设置雨水外排设施,以防不测。

13.5.3 本条对采暖、通风、收尘和空气调节节能设计作了规定。

2 光伏压延玻璃工厂的生产车间应以自然通风为主,但化学分析室、天然气配气室等处应设机械排风设施;

4 光伏压延玻璃工厂生产设施中必须设置空调系统的场所以控制室、电气室为主且布置比较分散,设置分散式空调系统较合理。

14 职业安全卫生

14.1 一般规定

14.1.2 天然气调压站、焦炉煤气加压站、液化石油气站、油罐区应设警示标志,在有可能有燃气溢出的场所应设置燃气泄漏检测和报警装置,并应设置和检测装置联动的事故排风风机。

14.1.3 《中华人民共和国职业病防治法》中明确要求"用人单位应设置或者指定职业卫生管理机构或者组织,配备专职或者兼职的职业卫生管理人员,负责本单位的职业病防治工作"。

14.2 防火与防爆

14.2.3 本条系根据现行国家标准《城镇燃气设计规范》GB 50028而制定。

14.2.5 燃料油、可燃气体均为易燃、易爆品,在储存和输送过程中为防止静电火花引起爆炸,应保证接地良好。

14.2.6 该场所主要指可能散发可燃蒸汽和气体、并存在火灾爆炸危险的燃气配气室、锅炉房等。

14.2.8 本条对事故通风设计作了规定。事故通风指发生紧急状况时的排风,包含火灾排风、有毒有害气体泄漏排风等,当场所位于地下或无外门外窗时还包含为之补风用的送风。

   3 本款为强制性条款。将防爆风机与爆炸危险性气体报警装置设置成联动,是为了发生爆炸危险性气体泄露时,即使人员不在现场时也能自动启动防爆风机,减轻更严重的事故发生。在室内设置开关,是为了一旦发生紧急事故时,室内操作人员可以方便地启动事故排风机使其立即投入运行,在室外设置开关,则是方便操作人员即使不在室内也可启动风机后撤离。

14.3 防电与防雷

14.3.4 剩余电流动作保护器可以在设备及线路发生接地故障时通过保护装置的检测机构取得异常信号,经中间机构转换和传递,然后促使执行机构动作,自动切断电源来起保护作用。

14.3.6 设加锁保护旨在防止发生触电等意外事故。

14.3.8 各种等电位联结是保障人身安全的基本而重要的措施。同一接地网可避免各种原因造成的系统反击电压,保护人身及设备安全。